AF524964

Schnellkochtopf Kochbuch

Die leckersten Rezepte für Ihren Schnellkochtopf zeitsparend und nährstoffreich zubereiten

Phillip Stegemann

Email: info@edition-lunerion.de
www.edition-lunerion.de

Psiana eCom UG
Berumer Str. 44
26844 Jemgum

Vorwort

Er gilt als der Porsche unter den Kochtöpfen: Der Schnellkochtopf. Ein Haushaltshit der 60er, für den in der leichten Küche des 21. Jahrhunderts weder Platz noch Notwendigkeit ist? Falsch gedacht! Denn der Turbo-Alleskönner punktet auch heute noch mit unschlagbaren Vorteilen: Intensive Aromen, unendliche Vielfalt in der Gerichteauswahl – und natürlich Hochgeschwindigkeit! Wie Sie von seinen Fähigkeiten so richtig profitieren können, zeigt Ihnen dieses vielfältige Kochbuch mit einer Fülle an köstlichen, speziell darauf zugeschnittenen Rezepten. Er zaubert Ihnen klassische Fleisch- und Fischgerichte genauso blitzschnell auf den Tisch wie vegetarische und vegane Köstlichkeiten und sogar bei Beilagen, süßer Nachspeise oder Marmelade lässt er Sie nicht im Stich – und das alles in Rekordgeschwindigkeit. Optimal eingesetzt, spart er so eine Menge Energie und erhält viele wertvolle Vitamine – wie genau, das zeigen Ihnen die Rezepte in diesem Buch. Also probieren Sie sich durch Eintöpfe, Risottos & Ragouts und genießen Sie den unverwechselbaren Geschmack der Schnellkochtopfgerichte!

Guten Appetit!

INHALT

Einleitung

Mit Volldampf leckere Mahlzeiten zubereiten.

Der Schnellkochtopf macht seinem Namen alle Ehre, denn er nutzt zum Zubereiten sämtlicher Nahrungsmittel ein physikalisches Gesetz. So ist der Siedepunkt von Flüssigkeiten stets abhängig vom Luftdruck. Bekanntlich liegt der Siedepunkt von Wasser exakt bei hundert Grad Celsius. Senkt sich demnach der Luftdruck, sinkt im gleichen Zuge ebenso der Siedepunkt. Somit arbeitet der Schnellkochtopf nach einem ganz einfachen Prinzip. Mit Hilfe eines bestimmten Drucks lassen sich im Nu leckere und dennoch gesunde Gerichte zubereiten.

Die meisten Töpfe dieser Art werden zudem aus Edelstahl hergestellt. Zum Topf gehört dann noch ein passender Deckel, der mit einem Dichtungsring versehen ist. Auf diese Weise lässt sich der Schnellkochtopf hermetisch schließen. Ist der Schnellkocher einmal verschlossen, kann hier weder weitere Luft hinein noch hinaus gelangen. Dies ist nur möglich, wenn das druckregulierende Ventil betätigt wurde, denn mit diesem lässt sich überschüssiger Druck einfach ablassen. Erhitzt man Wasser in diesem Topf, fängt dieses langsam an, zu verdunsten. Der Dampf, der jetzt entsteht, kann aber nicht ohne weiteres hinaus und steigt stetig an, sodass der Siedepunkt des Wassers automatisch nach oben hin verschoben wird. Aus diesem Grund bezeichnen viele den Schnellkochtopf auch als Druckdampfkochtopf oder als Dampfkochtopf.

WELCHE VORTEILE BRINGT EIN SCHNELLKOCHTOPF MIT?

Da hier der Siedepunkt verändert wird, lassen sich Garzeiten problemlos bis zu 70 % verkürzen. Auf diese Weise sparen Sie nicht nur Zeit beim Zubereiten diverser Speisen, sondern ebenso Energie. Letzteres wird nicht nur die Umwelt begeistern, denn auch Ihr Kontostand profitiert davon. Hinzu kommt, dass durch diese Zubereitungsart auch die Lebensmittel geschont werden, denn hier wird Sauerstoff verdrängt, der ansonsten allzu gerne die Vitamine sowie andere Nährstoffe in den Nahrungsmitteln schädigt. Parallel dazu behalten sämtliche Speisen ihr unvergleichliches Aroma, sodass Gerichte aus dem Schnellkochtopf einen echten Gaumenschmaus darstellen. Des Weiteren ist es möglich, in diesem speziellen Topf zahlreiche Zubereitungsarten zu nutzen, denn mit der Nutzung verschiedener Einsätze können Gemüse, Fisch, Fleisch sowie Kartoffeln gleichzeitig gegart werden. Verschiedene Stufen machen es außerdem möglich, minutengenau zu kochen, und das auf schonende Art und Weise.

WEITERE EIGENSCHAFTEN DES SCHNELLKOCHTOPFES

In der Regel bringen Schnellkochtöpfe mindestens zwei unterschiedliche Garstufen mit. Hierbei handelt es sich zum einen um die Intensiv- und zum anderen um die Schonstufe. Zumal es inzwischen Schnellkochtöpfe in unterschiedlichen Größen gibt. Von 2,5 bis zehn Litern ist alles möglich. Demnach kann der Single ebenso von diesem besonderen Topf profitieren, wie eine Großfamilie. Babybreie, Suppen, Soßen sowie eine Vielzahl weiterer Speisen lassen sich so jederzeit ohne viel Aufwand schnell zubereiten. Zumal der Schnellkochtopf auch zur Entsaftung von Obst und zum Einkochen genutzt werden kann. Meistens sind sämtliche Schnellkochtöpfe auf einem jeden Herd nutzbar. Sie sind rostfrei und gleichzeitig zur

Reinigung in der Spülmaschine geeignet. Lediglich der Dichtungsring, das Ventil sowie der Timer sollten allerdings nicht in der Spülmaschine ihren Platz finden.

Zudem findet sich im Handel noch eine weitere Variante des Schnellkochtopfs – Die Schnellbratpfanne. Diese bringt dieselben Eigenschaften mit, eignet sich aber besser für Fleischspeisen, denn das Wasser und der Fleischsaft können hier besser kondensieren als im Schnellkochtopf.

Der Schnellkochtopf ist wieder im Kommen

Vor einigen Jahrzehnten fand man den Schnellkochtopf fast in jedem Haushalt. Er war der Klassiker in Muttis und Omis Küche. Aus unerfindlichen Gründen verschwand er dann aber plötzlich in der Versenkung. Inzwischen haben allerdings viele diesen Alleskönner wiederentdeckt, denn die vielen positiven Eigenschaften sprechen doch für sich. Schon allein, dass die Wohnung nach dem Kochen im Schnellkochtopf nicht nach Essen riecht, finden viele Nutzer vorteilhaft. Zudem lassen sich allerlei Speisen ohne zusätzliche Fettzugaben schonend garen, was wiederum der schlanken Linie zugutekommen kann. Komplette Menüs lassen sich außerdem gleich für zahlreiche Personen recht zügig zubereiten, sodass einer spontanen Feier nichts mehr im Wege steht. Wer seinen Schnellkochtopf stets fachgerecht nutzt, kann zudem davon ausgehen, dass er eine lange Zeit Freude an diesem Alleskönner haben wird.

TIPPS ZUM GEBRAUCH DES SCHNELLKOCHTOPFS:

Durchaus gilt es aber, auch bei der Nutzung eines Schnellkochtopfs einige Punkte zu beachten. So ist der Gebrauch eines solchen Topfes zwar nicht gefährlich, aber es gibt bestimmt den einen oder anderen Nutzer, der seinen Eintopf oder ein anderes Gericht verteilt in seiner Küche wiedergefunden hat.

- Kein Schnellkochtopf darf jemals ohne irgendeine Flüssigkeit kochen. Er muss immer befüllt sein, allerdings mit einer maximalen Menge von zwei Drittel.
- Sowohl bei Suppen als auch bei anderen Flüssigkeiten gilt es stets, zu warten, bis sich die Druckanzeige gänzlich von allein senkt. Erst dann darf der Deckel vom Schnellkocher genommen werden.
- Wer den Druck zügiger senken möchte, kann den Schnellkochtopf mit kaltem Wasser abkühlen. Dafür einfach den Topf unter fließendes, kaltes Wasser halten. Diese Methode hat allerdings den Nachteil, dass es zu einer Bildung von Kondenswasser kommt. Zumal auch das Abkühlwasser unter Umständen durch das Ventil laufen kann.
- Der Schnellkochtopf darf niemals mit Gewalt geöffnet werden.
- Es gilt, stets die Garzeiten des Herstellers zu beachten. Je voller der Schnellkochtopf ist bzw. je größer die Lebensmittel sind, desto länger muss das Ganze garen.
- Sobald die ausgewählte Kochstufe erreicht ist, gilt es, die Temperatur des Herdes zu senken.
- Es gilt, lediglich Zutaten zusammen im Schnellkocher zu garen, die ungefähr die gleichen Garzeiten mitbringen.

IST EIN SCHNELLKOCHTOPF GEFÄHRLICH?

Keine Frage, im Vergleich zu einem herkömmlichen Kochtopf ist der Schnellkocher ein etwas lauter Geselle. Keinesfalls bedeutet das aber gleich, dass der Schnellkochtopf gefährlich ist. Es ist bewiesen, dass kein Topf dieser Art einfach so explodiert oder gar in der Küche herumfliegt. Kommt es zu einem solchen Vorfall, haben Sie wahrscheinlich etwas Gravierendes falsch gemacht. Es muss schon eine Menge passieren, wenn es beim Kochen mit einem Schnellkochtopf zu einer Explosion kommt. So kann es lediglich passieren, dass der Deckel vom Topf hüpft und sich das

Innere dann an ihren Wänden und an ihrer Decke befindet. Aber auch solche Fälle kommen eher selten vor.

Springt der Deckel dennoch einmal vom Schnellkochtopf, schießen die Speisen förmlich, wie kleine Kanonenkugeln, an die Küchendecke. Schuld daran ist in diesem Fall der Überdruck im Topf, denn im Inneren ist es jetzt einige Grad heißer als in der umliegenden Luft. So ist das Gericht plötzlich einem Normaldruck ausgesetzt, obwohl es im Topf um einiges heißer ist. Recht zügig wird dann die Flüssigkeit im Schnellkochtopf in ein Gas verwandelt, sodass das Ganze enorm an Volumen gewinnt. Auf diese Weise kommt es zu einer Entstehung einer Gas-Blase, die dann einfach die festen Lebensmittel aus dem Inneren mitreißt. Demnach kommt es hier nicht zu einer wirklichen Explosion, denn der Schnellkochtopf bleibt heil. Grund für das Abheben des Deckels kann hier sein, dass Sie diesen nicht richtig geschlossen haben. Wobei diese Erklärung auch nicht ganz korrekt ist, denn wenn der Deckel nicht richtig schließt, kann sich auch kein Druck aufbauen. Zumal das Schließen des Schnellkochtopfdeckels immer mit einem Klick-Geräusch einher ergeht. Klickt es nicht, ist der Topf nicht richtig zu.

Eines der Hauptmerkmale, wenn es um das Thema Sicherheit geht, ist außerdem immer das Überdruckventil. Sobald Druck im Inneren des Schnellkochers aufgebaut wird, kommt dieses zum Einsatz. Mittels dieses Ventils kann der Druck gar nicht zu stark werden. So baut sich dieser mit Hilfe der Hitze langsam auf. Sobald der Druck zugegen ist, verschließt sich das Ventil automatisch, sodass der Druck nicht mehr entweichen kann. Der Schnellkochtopf beginnt, zu zischen. Schließt sich der Topf, hört auch das Zischen auf. Oben am Deckel wird jetzt ein kleiner Stift sichtbar, der ganz langsam nach oben wandert. Ist der maximale Druck erreicht, öffnet sich das Ventil und der Druck wird abgelassen. Arbeitet das Überdruckventil, aus welchen Gründen auch immer, nicht mehr richtig, kann dies allerdings dazu führen, dass sich der Deckel durch den zu hohen Druckaufbau hebt. Demnach ist es wichtig, in regelmäßigen Abständen zu prüfen, ob das Überdruckventil reibungslos funktioniert.

WARUM IST DAS KOCHEN IM SCHNELLKOCHTOPF SO SCHONEND?

Zahlreiche Nahrungsmittel benötigen einige Zeit des Kochens, um zu garen. Das lange Kochen in einem herkömmlichen Kochtopf mit Wasser laugt die Lebensmittel allerdings aus. Nährstoffe, Aromen sowie Vitamine werden buchstäblich zerkocht. Wer seine Gerichte hingegen in einem Schnellkochtopf zubereitet, gart diese schneller, und zahlreiche wichtige Nährstoffe sowie Vitamine bleiben erhalten. Gleiches gilt für die Aromen in den Lebensmitteln. Aus dem Schnellkocher entweicht während des Garens kein Wasserdampf. Auf diese Weise behalten die Speisen ein Maximum an Aroma sowie Geschmack. Zumal dies auch mit den enorm verkürzten Garzeiten in Zusammenhang steht. Wer zudem einen Schnellkochtopf für die Zubereitung seiner Speisen nutzt, verwendet oftmals frische, vitalstoffreiche Nahrungsmittel, da das Ganze schließlich kaum Zeit in Anspruch nimmt. Automatisch kommen Sie also in den Genuss weitaus gesünderer und besserer Speisen.

DIE EINZELNEN STUFEN DES SCHNELLKOCHTOPFS EINFACH ERKLÄRT

Nur ein paar grundlegende Dinge gilt es, beim Kochen mit dem Schnellkochtopf zu beachten, und schon gestaltet sich das Zubereiten diverser Speisen recht einfach. So gilt es zuerst, immer die angeratene Menge Wasser in den Topf zu geben. Danach folgen die Lebensmittel und anschließend wird der Deckel geschlossen, bis das Klick-Geräusch zu hören ist. Durch die farblich markierten Ringe im Druckanzeiger wird hingegen angezeigt, wann der entsprechende Druck zugegen ist. Anschließend wird die Temperatur des Herdes gesenkt und das Ganze bei mäßiger Hitze fertig gegart. Die meisten Schnellkochtöpfe bringen zwei Druckstufen mit. So werden auf der Stufe 1 Nahrungsmittel wie Gemüse oder Fisch zubereitet. Stufe 2 hingegen eignet sich zum Beispiel gut für Fleischgerichte sowie Eintöpfe.

Bevor der Deckel des Schnellkochtopfs entfernt werden kann, muss stets der Druck im Inneren abgebaut werden. So gilt es, den Topf entweder auf einer kalten Herdplatte abzukühlen oder diesen unter kaltes Wasser zu halten. Außerdem ist es bei festen Menüs möglich, den Druck manuell entweichen zu lassen. In diesem Fall gilt es, mit Vorsicht auf den Knopf auf dem Deckel zu drücken und so den Druck abzulassen. Wer bei Suppen und Eintöpfen per Hand den Druck entweichen lassen möchte, sollte außerdem noch wenig mehr aufpassen, denn in diesem Fall kann es wenig spritzen. Besser ist es daher, den Schnellkochtopf zuerst ein wenig abkühlen zu lassen und dann den entsprechenden Knopf zu betätigen.

DEN SCHNELLKOCHTOPF RICHTIG REINIGEN

Bei der Reinigung eines Schnellkochtopfs spielt vor allem die Antihaftbeschichtung eine bedeutende Rolle. Diese ist nicht ganz unempfindlich und kann daher schnell Schaden nehmen. Vor allem Gegenstände aus Metall kann diese Beschichtung gar nicht gut haben. Topfkratzer und Ähnliches sollten daher nicht bei der Reinigung des Schnellkochtopfs zum Einsatz kommen. Schonender und einfacher ist es, den Topf direkt nach der Nutzung mit Wasser auszuspülen, sodass Speisereste gar nicht erst antrocknen können. Mit Hilfe von wenig Spülmittel sowie einem weichen Lappen ist der Schnellkochtopf in der Regel zügig wieder sauber.

Etwas komplizierter ist hingegen das Reinigen des Deckels. So kann die Dichtung vorab aus dem Deckel entfernt und unter fließendem Wasser gesäubert werden. Auf keinen Fall darf diese zur Reinigung in die Spülmaschine gegeben werden, denn hier wird das Gummi schnell porös, sodass das Ganze nicht mehr dicht verschlossen werden kann. Außerdem lassen

sich die Ventile ebenso schnell ausbauen. Lösen Sie also zuerst die Dichtung, dann das Ventil und säubern Sie den Deckel mit ein bisschen Spülmittel und einem weichen Lappen. Danach gilt es, den Deckel gründlich abzutrocknen. Auch das Ventil können Sie ruhig unter Wasser säubern und dann trocken tupfen. Zum Schluss gilt es, alles wieder zusammenzusetzen und schon ist der Schnellkochtopf wieder voll einsatzbereit. Im Übrigen lassen sich poröse Dichtungen des Schnellkochtopfs problemlos austauschen.

Suppen

KLASSISCHE GRAUPENSUPPE MIT PFIFFERLINGEN

4 Port. 15 Min. Einfach

Zutaten

1,5 Liter Fleischbrühe
100 g Perlgraupen
300 g Pfifferlinge
300 g Steckrübe
1 Zwiebel
1 Bund Petersilie
100 g Speck
1 Lorbeerblatt
1 Knoblauchzehe
2 Esslöffel Olivenöl
1 Esslöffel Butterschmalz
Pfeffer
Salz

Nährwerte

358 kcal
27 g Kohlenhydrate
19 g Fett
4 g Eiweiß

1 Die Zwiebel sowie die Knoblauchzehe von ihrer Schale befreien. Dann die Knoblauchzehe durch die Presse quetschen und die Zwiebel in feine Streifen verwandeln. Den Speck hinge-gen in Würfel zerteilen. Diese Form erhält ebenso die Steckrübe, nachdem sie gesäubert und von ihrer Schale gelöst wurde.

2 Die Pfifferlinge vorab ebenfalls säubern sowie trockene Stellen entfernen. Im Anschluss das Olivenöl im Schnellgarer erhitzen und hier die Knoblauchzehe, die Zwiebel sowie den Speck ungefähr vier Minuten dünsten. Danach die Steckrübenwürfel sowie die Perlgraupen zugeben und alles mit der Fleischbrühe auffüllen.

3 Jetzt das Ganze einmal aufkochen und das Lorbeerblatt mit in die Suppe legen. Anschließend gilt es, den Deckel sowie das Ventil zu schließen und bei enormer Hitze den nötigen Druck aufzubauen. Danach die Hitze wieder reduzieren und alles 15 bis 20 Minuten lang garen lassen. Nach der Garzeit sofort abdampfen.

4 Während die Graupensuppe gart, die Petersilie abbrausen und die Blätter in feine Streifen teilen. In einer Bratpfanne das Butterschmalz heiß werden lassen und hier die Pilze mit Pfeffer sowie Salz braten. Dann die Petersilie zugeben.

EINFACHE GEMÜSE-SUPPE

4 Port. 30 Min. Einfach

Zutaten

200 g Staudensellerie
200 g Spinat
1 Lauchstange
1 Zucchini
3 Tomaten
50 g Erbsen
1 Zwiebel
2 Karotten
3 Kartoffeln
Etwas Olivenöl
Pfeffer
Salz

Nährwerte

69 kcal
10 g Kohlenhydrate
1 g Fett
5 g Eiweiß

1 Sämtliche Gemüsesorten kurz abbrausen. Die Karotten, die Zwiebel sowie die Kartoffeln ohne Schale in Würfel verwandeln. Die Zucchini ebenfalls in diese Form bringen. Den Spinat hingegen in Streifen zerteilen und den Staudensellerie sowie die Lauchstange ebenso in kleine Stücke teilen.

2 Die Tomaten mit kochendem Wasser übergießen. Dann die Haut abziehen und Stiel sowie Kerne entfernen. Den Rest würfeln. Jetzt das gesamte Gemüse mit genau zwei Litern Wasser in den Schnellkochtopf füllen. Den Deckel fest verschließen und alles bei hohen Temperaturen unter Dampf setzen.

3 Danach die Temperatur senken und die Gemüsesuppe circa zehn Minuten garen lassen. Das Ganze vom Herd ziehen, sodass der Dampf langsam entweichen kann. Zu guter Letzt die Gemüsesuppe mit ein wenig Olivenöl verfeinern und mit Pfeffer sowie Salz geschmacklich abrunden.

KÜRBISSUPPE MIT HAUBE

4 Port. 25 Min. Einfach

Zutaten

125 g Crème fraîche
1 Kartoffel
700 ml Gemüsebrühe
1 Zwiebel
2 Esslöffel Anis-Schnaps
600 g Hokkaido-Kürbis
3 Thymianzweige
3 Zitronen-Thymianzweige
2 Esslöffel Rapsöl
Pfeffer
Salz

Nährwerte

270 kcal
18 g Kohlenhydrate
19 g Fett
5 g Eiweiß

1 Die Kartoffel von ihrer Schale lösen und den Rest in Würfel teilen. Dann die Zwiebel ohne Schale fein zerhacken. Den Hokkaido-Kürbis teilen, die Kerne entfernen und das Frucht-fleisch in Stücke verwandeln.

2 Nun das Rapsöl im Schnellkochtopf heiß werden lassen und die zerhackte Zwiebel hier glasig garen. Im Anschluss den Kürbis sowie die Kartoffelwürfel zugeben und das Ganze mit dem Anis-Schnaps löschen. Jetzt noch die Gemüsebrühe zugießen.

3 Beide Kräuter dazugeben, den Deckel schließen und hohen Druck aufbauen. Anschließend die Temperatur herunterdrehen und die Kürbissuppe gute sieben Minuten garen lassen. Danach den Topf vom Herd nehmen, sodass dieser im gemächlichen Tempo Dampf ablassen kann.

4 Zu guter Letzt noch den Thymian aus der Suppe holen und die Kürbissuppe mit einem Pürierstab bearbeiten. Das Ganze mit Pfeffer sowie Salz verfeinern und mit einem Klecks Crème fraîche genießen.

HÜHNERSUPPE MIT NUDEL-EINLAGE

4 Port. 30 Min. Einfach

Zutaten

200 g Suppennudeln
1,5 kg Suppenhuhn (küchenfertig)
300 g Erbsenschoten
2 Lorbeerblätter
1 Bund Suppengrün
5 Pfefferkörner
1 Bund Petersilie
3 Karotten
Pfeffer
Salz

Nährwerte

882 kcal
43 g Kohlenhydrate
52 g Fett,
58 g Eiweiß

1 Das Suppengrün säubern und klein zerteilen. Dann das Suppenhuhn gut abbrausen, in dem Schnellkochtopf mit Wasser bedecken, mit einem halben Teelöffel Salz versehen und zum Kochen bringen. Den Schaum entfernen.

2 Zu guter Letzt noch den Thymian aus der Suppe holen und die Kürbissuppe mit einem Pürierstab bearbeiten. Das Ganze mit Pfeffer sowie Salz verfeinern und jetzt noch die zwei Lorbeerblätter sowie das Suppengrün zur Suppe geben. Den Schnellkochtopf fest schließen und bei hohen Temperaturen für den nötigen Druck sorgen. Im Anschluss die Temperatur senken und alles 25 Minuten garen lassen. Nach dem sofortigen Abdampfen das Huhn herausnehmen und klein zerteilen. Die Suppe durch ein Sieb gießen.

3 Zwischenzeitlich die Karotten ohne Schale in feine Stifte teilen und die Erbsen nach dem Säubern aus den Schoten nehmen. Separat in einem Topf die Suppennudeln wie gewohnt zubereiten. Die Petersilie hingegen fein hacken. Nun die Karotten in die Suppe geben und diese fünf Minuten mitgaren lassen. Danach die Erbsen zufügen und nach weiteren fünf Minuten das gewürfelte Hühnchen zurück in die Brühe geben. Jetzt noch die Nudeln dazugeben und das Ganze mit Pfeffer sowie Salz geschmacklich abrunden. Alles mit der zerhackten Petersilie bestreuen.

CHILI-GULASCHSUPPE

4 Port. 30 Min. Einfach

Zutaten

500 g Rindfleisch
1 Liter Rinderbrühe
2 Zwiebeln
1 Chilischote (rot)
2 Tomaten
1 Knoblauchzehe
2 Karotten
300 g Kartoffeln
1 Paprika (rot)
20 g Schweineschmalz
2 Teelöffel Tomatenmark
1 Teelöffel Majoran
1 Teelöffel Paprikapulver (edelsüß)
Pfeffer
Salz

Nährwerte

495 kcal
16 g Kohlenhydrate
32 g Fett
35 g Eiweiß

1 Die Paprika sowie die Chilischote abbrausen und ohne Kerne in kleine Würfel teilen. Die Kartoffeln sowie Karotten von ihrer Schale befreien und mit den Tomaten in dieselbe Form bringen. Knoblauch und Zwiebeln hingegen ohne Schale fein zerhacken. Dann noch das Fleisch abbrausen und ebenfalls in Würfel verwandeln.

2 Jetzt das Schweineschmalz im Schnellkochtopf heiß werden lassen und die Fleischwürfel scharf anbraten. Danach den Knoblauch sowie die Zwiebeln zugeben und das Ganze mit Pfeffer sowie Salz und den anderen Gewürzen verfeinern. Anschließend das Tomatenmark einrühren und alles leicht anbraten.

3 Nun noch das gesamte Gemüse sowie die Rinderbrühe zugeben und den Schnellkochtopf fest verschließen. Nachdem bei hohen Temperaturen der nötige Druck aufgebaut wurde, die Temperatur senken und die Gulaschsuppe circa 25 Minuten garen lassen. Im Anschluss das Ganze auf der ausgestellten Platte abdampfen lassen.

LINSENSUPPE MIT NUDEL-EINLAGE

4 Port. 20 Min. Einfach

Zutaten

500 g Linsen
5 Petersilienstängel
2 Staudenselleriestangen
250 g Pancetta
3 Karotten
2 Zwiebeln (klein)
500 g Suppennudeln
Etwas Olivenöl
Etwas Parmesankäse (gerieben)
Pfeffer
Salz

Nährwerte

823 kcal
110 g Kohlenhydrate
23 g Fett
39 g Eiweiß

1 Zuerst die Linsen abbrausen und in einem Sieb abtropfen lassen. Diese dann mit 2,5 Litern Wasser in den Schnellkocher geben und zum Kochen bringen. Den Schaum entfernen.

2 Anschließend den Deckel draufgeben und das Ganze unter Dampf setzen. Mit gesenkter Temperatur die Linsen jetzt 13 bis 15 Minuten garen lassen.

3 Währenddessen die Pancetta in kleine Würfel zerteilen und mit ein bisschen Olivenöl in der Pfanne braten. Die Zwiebel sowie die Karotten schalenlos in Würfel verwandeln. Die Selleriestangen in dieselbe Form bringen und alles mit in die Pfanne legen.

4 Die Suppennudeln separat nicht ganz bissfest garen und die Petersilie fein zerhacken. Den Schnellkochtopf hingegen unverzüglich abdampfen lassen. Dann den Pancetta-Gemüse-Mix unter die Linsen rühren. Gleiches mit den Suppennudeln und der Petersilie vornehmen.

5 Zum Schluss die Linsensuppe mit Pfeffer sowie Salz verfeinern und beim Servieren noch mit einem Tropfen Olivenöl beträufeln und mit ein wenig Parmesankäse bestreuen.

GEMÜSE-PUTENSUPPE PLUS PECORINO

4 Port. 20 Min. Mittel

Zutaten

250 g Tomaten
500 g Putenfilet
1 Dose weiße Bohnen
50 g Pecorino (gerieben)
1 Bund Suppengrün
250 g Spargel (grün)
Ein halbes Bund Basilikum
3 Esslöffel Olivenöl
1 Kartoffel (klein)
Einen halben Teelöffel Kurkuma
600 ml Gemüsebrühe
2 Esslöffel Kräuter der Provence
Pfeffer
Salz

Nährwerte

325 kcal
24 g Kohlenhydrate
8 g Fett
41 g Eiweiß

1 Das Putenfleisch unter Wasser abbrausen und in Würfel zerteilen. Das Suppengrün ebenfalls säubern und in kleine Stücke verwandeln. Den grünen Spargel nur am unteren Ende von der Schale lösen und holzige Enden entfernen. Die Spargelstangen in drei Zentimeter große Stücke verwandeln.

2 Die Tomaten in kochendes Wasser geben, um diese von ihrer Haut zu trennen. Dann die Stiele entfernen, das Kerngehäuse herauslösen und den Rest klein zerteilen. Von der Kartoffel lediglich die Schale lösen und das Basilikum kurz abbrausen.

3 Jetzt das Olivenöl im Schnellkochtopf heiß werden lassen und hier die Putenwürfel mit Kurkuma, Pfeffer sowie Salz anbraten. Anschließend das klein zerteile Suppengrün zugeben und alles weitere drei bis vier Minuten garen. Danach die Gemüsebrühe zugießen, aufkochen und den Schaum entfernen.

4 Den Deckel auf den Kochtopf geben und diesen unter Dampf setzen. Gut eine Viertelstunde muss das Ganze dann bei geringer Temperatur köcheln. Nach der Garzeit den Dampf sofort aus dem Schnellkocher lassen.

5 Zum Schluss noch die weißen Bohnen, den Spargel sowie die Tomaten zur Suppe geben und mit Pfeffer, Kräuter der Provence und Salz verfeinern. Alles erneut aufkochen und zehn Minuten köcheln lassen. Wer die Suppe ein wenig Andicken möchte, kann jetzt noch die Kartoffel hineinreiben. Beim Servieren mit dem Pecorino bestreuen.

KICHERERBSENSUPPE Á LA ORIENT

4 Port. 20 Min. Einfach

Zutaten

350 g Hähnchenbrustfilet
450 g Kichererbsen (Dose)
2 Karotten
1,5 Liter Gemüsebrühe
1 Lauchstange
Ein halbes Bund Petersilie
2 Paprika (rot u. gelb)
2 Esslöffel Olivenöl
2 Esslöffel Akazienhonig (flüssig)
100 g Bulgur
1 Esslöffel Currypulver
Pfeffer
Salz

Nährwerte

430 kcal
51 g Kohlenhydrate
10 g Fett
31 g Eiweiß

1 Die Hähnchenbrustfilets säubern. Die Karotten von ihrer Schale befreien sowie in Scheiben verwandeln. Den Lauch hingegen in Ringe zerteilen und die Petersilienblätter fein zerhacken. Dann die rote sowie gelbe Paprika abbrausen und ohne Stiel sowie Kerngehäuse in Rauten teilen. Die Kichererbsen zum Abtropfen in ein Küchensieb gießen.

2 Jetzt das Olivenöl im Schnellkochtopf heiß werden lassen und hier das Currypulver anschwitzen. Darauf die Gemüsebrühe gießen und die Karotten, den Lauch sowie die Hähnchenwürfel zugeben. Den Schnellkocher mit dem Deckel verschließen und unter Dampf setzen. Im Anschluss die Temperatur senken und das Ganze eine Viertelstunde schmoren lassen. Dann unverzüglich den Dampf ablassen.

3 Das Hähnchen aus der Suppe fischen und diese samt Karotten und Lauch durch ein Küchensieb streichen. Dann die Suppe wieder in den Topf füllen und den Bulgur, die Paprika sowie die Kichererbsen zugeben. Das Ganze erneut verschließen und vollen Druck aufbauen. Danach den Herd komplett ausstellen und die Suppe weitere zwei Minuten auf der noch warmen Platte garen lassen. Im Anschluss erneut sofort den Dampf ablassen.

4 Zum Schluss das Fleisch wieder zur Suppe geben. Alles mit der zerhackten Petersilie bestreuen und mit dem Akazienhonig, Salz sowie Pfeffer verfeinern.

Eintöpfe

MAIS-BOHNEN-EINTOPF

4 Port. 20 Min. Einfach

Zutaten

2 Kartoffeln (groß)
250 g weiße Bohnen (getrocknet)
100 g Speck (durchwachsen)
2 Knoblauchzehen
1 Schinkenknochen
400 g Mais (tiefgekühlt)
1 Bund Petersilie
Pfeffer (schwarz)
Salz

Nährwerte

680 kcal
91 g Kohlenhydrate
16 g Fett
29 g Eiweiß

1 Die Bohnen kurz abbrausen und den Schnellkocher füllen. So viel Wasser zugießen, dass diese damit bedeckt sind. Dann den Deckel fest verschließen und das Ganze unter Dampf setzen. Im Anschluss die Temperatur herunterdrehen und die Bohnen 20 Minuten garen lassen. Nach dieser Zeit unverzüglich den Dampf entweichen lassen.

2 Zwischenzeitlich die Kartoffeln ohne Schale in Würfel verwandeln. Dem Speck dieselbe Form geben. Die Knoblauchzehe, ebenfalls ohne Schale, fein hacken. Gleiches mit der Petersilie vornehmen.

3 Nachdem der Dampf abgelassen wurde, den Schinkenknochen zu den Bohnen geben und genügend Wasser zugießen, bis alles gut bedeckt ist. Auch die Kartoffel- sowie Speckwürfel, der Mais sowie der Knoblauch und die Petersilie kommen jetzt dazu.

4 Erneut wird der Deckel auf den Schnellgarer gegeben und das Ganze unter Dampf gesetzt. Nach der Reduzierung der Hitze darf der Eintopf noch weitere zehn Minuten köcheln. Danach den Kocher von der Platte ziehen und warten, bis der Dampf abgelassen ist.

5 Zu guter Letzt den Schinkenknochen aus dem Eintopf holen, das Fleisch vom Knochen entfernen und dieses zurück in den Topf legen. Den Eintopf noch mit Pfeffer sowie Salz verfeinern.

BOHNEN-RINDFLEISCH-EINTOPF

4 Port. 20 Min. Einfach

Zutaten

2 Rinder-Beinscheiben
400 g Kartoffeln
2 Karotten
500 g Stangenbohnen (grün)
1 Zwiebel
1 Lorbeerblatt
200 g Sellerie
1 Teelöffel Bohnenkraut
Pfeffer
Salz

Nährwerte

220 kcal
22 g Kohlenhydrate
4 g Fett
22 g Eiweiß

1 Zuerst die Rinder-Beinscheiben abspülen und anschließend mit einem halben Liter kaltes Wasser in den Schnellkocher geben. Dazu das Lorbeerblatt legen und das Ganze mit einem Teelöffel Salz bestreuen.

2 Jetzt noch die Zwiebel ohne Schale achteln und ebenfalls in den Kocher legen. Das Ganze dann zum Kochen bringen und den Schaum abnehmen. Danach den Deckel samt Ventil fest verschließen und den Topf zum Dampfen bringen. Im Anschluss die Hitze senken und das Ganze eine halbe Stunde garen lassen. Nach der Garzeit unverzüglich den Dampf aus dem Schnellkochtopf entweichen lassen.

3 In der Zwischenzeit die Karotten ohne Schale mit einem Sparschäler in Streifen teilen und danach in feine Würfel verwandeln. Den Sellerie nach dem Säubern in dieselbe Form bringen. Die Bohnen hingegen säubern und die Spitze sowie den Stielansatz abtrennen. Den Rest in mundgerechte Stücke verwandeln. Gleiches mit den Kartoffeln vornehmen, nachdem sie von der Schale befreit wurden.

4 Ist der Dampf aus dem Schnellkocher entwichen, können die Kartoffeln, der Sellerie sowie die Karotten zugefügt werden. Nachdem das Ganze einmal aufgekocht wurde, folgen die Bohnen sowie das Bohnenkraut. Nun das Ganze wieder fest verschließen, unter Dampf setzen und bei reduzierter Temperatur zehn Minuten garen lassen. Danach sofort den Dampf aus dem Topf lassen.

5 Im Anschluss die Beinscheiben aus dem Eintopf fischen und das Fleisch vom Knochen schneiden sowie in Würfel verwandeln. Diese dann zurück in den Schnellkocher geben und den Eintopf noch mit Pfeffer sowie Salz geschmacklich verfeinern.

BORSCHTSCH-EINTOPF

4 Port. 25 Min. Mittel

Zutaten

2 Markknochen
½ Knollensellerie
800 g Rote Bete
750 g Suppenfleisch
2 Karotten
3 Zwiebeln
1 Staudenselleriestange
200 g Weißkohl
Eine halbe Lauchstange
3 Esslöffel Essig
2 Esslöffel Butter
1 Esslöffel Tomatenmark
Einen halben Teelöffel Zucker
5 Pfefferkörner (schwarz)
Pfeffer
Salz

Nährwerte

340 kcal
12 g Kohlenhydrate
16 g Fett
32 g Eiweiß

1 Eine Zwiebel ohne Schale in der Mitte teilen. Dann eineinhalb Liter Wasser in den Schnellkochtopf geben und die Markknochen zufügen. Das Ganze aufkochen. Anschließend das Suppenfleisch sowie die Zwiebelhälften und die Pfefferkörner zugeben. Das Ganze erneut aufkochen und den Schaum abnehmen.

2 Jetzt den Deckel auf den Kocher geben und den nötigen Druck aufbauen. Danach das Ganze bei kleinerer Hitze eine halbe Stunde garen lassen. Anschließend die Platte ausstellen und den Schnellkochtopf abdampfen lassen.

3 Nun das Fleisch aus dem Topf holen und dieses in kleine Stücke teilen. Die Fleisch-Gemüse-Brühe hingegen durch ein Sieb schütten, diese auffangen und das Gemüse beiseitestellen.

4 Nun die übrigen Zwiebeln, ebenfalls ohne Schale, fein zerhacken. Dann den Weißkohl säubern sowie hobeln. Die Rote Bete hingegen von ihrer Schale lösen und in längliche Stücke verwandeln.

5 Jetzt noch die Butter im Schnellkocher heiß werden lassen und zuerst die Zwiebelstücke hier andünsten. Dann die Rote Bete dazugeben und alles weitere fünf Minuten garen lassen. Anschließend einen Teil der Brühe zugießen, bis der Zwiebel-Rote-Bete-Mix bedeckt ist.

6 Dann den Zucker, den Essig sowie das Tomatenmark dazu geben und bei schwacher Hitze mit aufgelegtem Deckel eine Viertelstunde vor sich hin köcheln lassen.

7 Danach den Weißkohl sowie den Rest der Brühe zufügen und das Ganze wieder fest verschließen. Nachdem der Topf voll unter Dampf gesetzt wurde, darf der Eintopf bei niedrigeren Temperaturen erneut zehn Minuten garen.

8 Danach den Schnellkocher vom Herd nehmen, sodass dieser langsam abdampfen kann. Zum Schluss das Fleisch sowie das beiseitegestellte Gemüse wieder zurück in den Schnellkochtopf geben und alles mit Pfeffer sowie Salz verfeinern.

WURZELGEMÜSE-EINTOPF

4 Port. 25 Min. Einfach

Zutaten

3 Zwiebeln
3 Karotten
100 g Sellerie
Etwas Lauch
Einen halben Teelöffel
Instant-Brühe
Einen halben Teelöffel
Ras el Hanout
Pfeffer
Salz

Nährwerte

129 kcal
23 g Kohlenhydrate
1 g Fett
6 g Eiweiß

1 Die Zwiebeln, die Karotten, den Sellerie sowie den Lauch säubern, gegebenenfalls die Schale entfernen und alles in kleine Würfel verwandeln. Das Ganze danach mit ein wenig Öl im Schnellkocher anschwitzen und anschließend das Gemüse mit Wasser bedecken.

2 Nun die Gemüse-Suppe mit Instant-Brühe, Pfeffer, Ras el Hanout sowie Salz geschmacklich abrunden. Anschließend den Deckel fest auf dem Kocher verschließen und auf die erste Garstufe stellen. Ist diese erreicht, die Temperatur herunterdrehen und das Ganze fünf Minuten garen lassen.

3 Nach der Garzeit den Schnellkocher mit Vorsicht abdampfen und den Deckel vom Topf nehmen.

GARTEN-EINTOPF

4 Port. 20 Min. Einfach

Zutaten

1 Zucchini
5 Karotten
200 g grüne Bohnen
4 Kartoffeln
8 Tomaten (kleine)
1 Zwiebel
1,5 l Wasser
4 Esslöffel Sahne
Öl
Instant-Brühe
Paprikapulver
Pfeffer
Salz

Nährwerte

127 kcal
24 g Kohlenhydrate
1 g Fett
5 g Eiweiß

1 Die Zwiebel von ihrer Schale lösen und den Rest in Würfel verwandeln. Die grünen Bohnen lediglich in der Mitte teilen, während die Karotten, die Zucchini sowie die Kartoffeln ohne Schale ebenfalls gewürfelt werden. Jetzt noch die Tomaten zerteilen.

2 Ein bisschen Öl im Schnellkochtopf heiß werden lassen und hier die Zwiebel hineingeben. Zeigen diese sich glasig, das Gemüse zugeben und anschließend das Wasser samt Instant-Brühe.

3 Nun den Deckel fest auf dem Kocher verschließen und das Ganze auf die erste Garstufe stellen. Ist diese erreicht, muss der Gemüse-Eintopf eine Viertelstunde kochen. Danach den Topf vom Herd nehmen und warten, bis dieser seinen gesamten Dampf abgelassen hat.

4 Jetzt den Deckel abnehmen und den Garten-Eintopf mit Paprikapulver, Pfeffer sowie Salz und Sahne verfeinern.

DEFTIGER BOHNEN-EINTOPF

4 Port. 30 Min. Einfach

Zutaten

200 g Bohnen
400 g Kartoffeln
50 g Mandeln
100 g Lauch
2 Karotten
1 Paprika (rot)
2 l Wasser
50 ml Sojasoße
Etwas Petersilie
Etwas Liebstöckel
Etwas Bohnenkraut
Etwas Zucker
Senfkörner
Etwas Instant-Brühe
Pfeffer
Salz

Nährwerte

220 kcal
24 g Kohlenhydrate
9 g Fett
9 g Eiweiß

1 Die Bohnen am Tag vor der Zubereitung in Wasser einlegen. Diese dann in ein Küchensieb gießen. Anschließend die Kartoffeln ohne Schale in kleine Würfel zerteilen. Gleiches mit den Karotten vornehmen.

2 Jetzt zwei Liter Wasser in den Schnellkocher füllen und die Karotten- sowie Kartoffelwürfel hier hineingeben. Dazu noch ein paar Senfkörner, Bohnenkraut sowie Petersilie geben und den Schnellkochtopf verschließen. Diesen nun voll unter Dampf setzen und dann bei geringerer Hitze zehn Minuten köcheln lassen.

3 In der Zwischenzeit die Paprika sowie den Lauch zerkleinern. Nachdem der Topf abgedampft ist, den Deckel entfernen und die Paprikastücke zugeben.

4 Nun den Lauch in einer Bratpfanne anbraten und hier auch gleich die Mandeln mitrösten lassen. Den Lauch-Mandel-Mix zum Gemüse in den Schnellkocher geben und das Ganze mit der Instant-Brühe, dem Liebstöckel, der Sojasoße, dem Zucker sowie Pfeffer und Salz verfeinern.

STECKRÜBEN-EINTOPF

6 Port. 30 Min. Einfach

Zutaten

600 g Bauchfleisch (Schwein)
1 Stange Porree
1 kg Steckrüben
500 g Kartoffeln
2 Zwiebeln
4 Esslöffel Schweineschmalz
0,5 l Brühe
Etwas Petersilie
Pfeffer
Salz

Nährwerte

354 kcal
25 g Kohlenhydrate
17 g Fett
24 g Eiweiß

1 Das Bauchfleisch abbrausen und anschließend in zwei Zentimeter große Stücke zerteilen. Die Kartoffeln von ihrer Schale befreien und den Rest in Würfel verwandeln. Gleiches mit den Steckrüben vornehmen. Die Zwiebel ohne Schale sowie den Porree in feine Scheiben teilen.

2 Nun das Schmalz im Schnellkocher heiß werden lassen und hier die Fleischstücke sowie die Porree- und Zwiebelringe anbraten. Im Anschluss die Steckrüben- sowie Kartoffelwürfel zufügen und dann mit der Brühe das Ganze löschen.

3 Jetzt den Eintopf mit Pfeffer sowie Salz bestreuen und den Deckel auf dem Schnellkocher geben. Bei hoher Hitze alles zum Kochen bringen und zehn Minuten bei gesenkten Temperaturen garen lassen.

4 Zu guter Letzt den Topf abdampfen, den Eintopf einmal ausgiebig umrühren und eventuell erneut nachwürzen.

ERBSEN-EINTOPF

6 Port. 30 Min. Einfach

Zutaten

1 Bund Suppengrün
500 g Erbsen
1 Karotte
4 Rostbratwürste
2 Zwiebeln
2 l Wasser
Etwas Instant-Brühe

Nährwerte

392 kcal
15 g Kohlenhydrate
27 g Fett
19 g Eiweiß

1 Einen halben Liter Wasser in den Schnellkocher füllen und hier die Rostbratwürste hineingeben. Dann das Suppengrün säubern und alles in kleine Würfel zerteilen. Die Zwiebeln hingegen schalenlos fein zerhacken und die Erbsen, je nach Zustand, einweichen, abtropfen oder auftauen lassen.

2 Nun alle vorab vorbereiteten Zutaten mit zur Rostbratwurst geben. Dann das restliche Wasser zugießen und die Instant-Brühe einrühren.

3 Anschließend den Schnellkocher mit dem Deckel verschließen und diesen bis auf die zweite Garstufe unter Dampf setzen. Dann die Platte auf dem Herd abstellen und die Suppe eine halbe Stunde einfach stehen lassen.

4 Steht der Schnellkocher nach den 30 Minuten immer noch unter Druck, diesen mit Vorsicht ablassen. Dann die Bratwürste entnehmen und die Suppe mit einem Pürierstab bearbeiten.

5 Jetzt den Eintopf mit Pfeffer sowie Salz verfeinern und mit den Bratwürsten genießen.

KARTOFFEL-EINTOPF

4 Port. 20 Min. Einfach

Zutaten

2 Bockwürste
5 Kartoffeln (groß)
1 Stange Lauch
1 Karotte
1 Zwiebel
1 l Gemüsebrühe
Etwas Majoran
Etwas Muskatnuss
Etwas Schnittlauch
Etwas Petersilie
Pfeffer
Salz

Nährwerte

287 kcal
19 g Kohlenhydrate
17 g Fett
13 g Eiweiß

1 Die Kartoffeln sowie die Karotte von ihren Schalen befreien und dann in Würfel verwandeln. Den Lauch hingegen in Ringe teilen, während die Zwiebel schalenlos fein gehackt wird.

2 Nun ein bisschen Öl im Schnellkocher heiß werden lassen und die Lauchringe sowie die Zwiebelstücke hier anbraten. Das Ganze dann mit der Gemüsebrühe löschen. Danach noch die Karotten- und Kartoffelwürfel zur Suppe geben.

3 Anschließend den Deckel auf den Kocher geben und die zweite Garstufe einstellen. Ist die Temperatur erreicht, diese reduzieren und den Eintopf eine Viertelstunde weiter garen lassen.

4 Nach der Garzeit den Schnellkochtopf unter kaltes Wasser halten. Nach dem Druckabbau diesen dann öffnen und den Eintopf pürieren.

5 Zum Schluss noch die Bockwürste in Scheiben teilen und diese mit in den Kartoffel-Eintopf geben. Das Ganze danach noch mit den oben genannten Gewürzen sowie mit den Kräutern nach Geschmack verfeinern.

Hauptgerichte mit Fleisch & Geflügel

SPECKBOHNEN AUF KARTOFFELN

4 Port. 30 Min. Einfach

Zutaten

500 g grüne Bohnen
400 g Kartoffeln
1 Esslöffel Gemüsebrühe
200 g Speck
4 Esslöffel Crème fraîche
1 Esslöffel Olivenöl
250 ml Wasser
Pfeffer
Salz

Nährwerte

284 kcal
16 g Kohlenhydrate
16 g Fett
17 g Eiweiß

1 Wie gewohnt die Kartoffeln ohne Schale in Salzwasser garen.

2 Währenddessen die Enden von den Bohnen trennen und diese in den Dämpfeinsatz des Dampfkochers geben. Nach Anleitung das Wasser einfüllen und den Deckel samt Ventil schließen. Nachdem das Ganze unter Druck gesetzt wurde, die Bohnen zwei Minuten garen.

3 Danach den Topf unter kaltem Wasser abdampfen und die Bohnen herausnehmen. Diese anschließend wieder mit dem Olivenöl in den leeren Topf füllen. Den zuvor gewürfelten Speck, eine Tasse Wasser, die Gewürze sowie die Brühe zufügen und alles einmal umrühren.

4 Nun erneut den Deckel auf den Schnellkocher geben und alles bei schwacher Hitze fünf Minuten köcheln lassen. Zu guter Letzt noch die Crème fraîche unterrühren und mit den Kartoffeln zusammen servieren.

PASTA MIT BOLOGNESE

4 Port. 30 Min. Mittel

Zutaten

400 g Hack (gemischt)
3 Paprika (rot)
1 Chili
3 Tropfen Chili-Soße
2 Esslöffel Olivenöl
300 g Nudeln
400 ml Gemüsebrühe
50 g Tomatenmark
150 ml Rotwein
Pfeffer
Salz

Nährwerte

524 kcal
46 g Kohlenhydrate
22 g Fett
28 g Eiweiß

1 Die Paprika abbrausen, die Kerne entfernen und den Rest in Würfel verwandeln. Die Chilischote hingegen ohne Kerne in Scheiben teilen.

2 Jetzt das Öl im Schnellkochtopf heiß werden lassen und hier das Hack krümelig braten. Das Ganze mit Pfeffer, Chili-Soße und Salz verfeinern. Danach das Gemüse zum Hack geben und alles einmal durchmischen. Es folgen die Nudeln und die Gemüsebrühe sowie der Rotwein. Zu guter Letzt das Tomatenmark dazugeben.

3 Anschließend den Deckel auf den Topf geben, das Ventil schließen und das Ganze unter Dampf zehn Minuten kochen lassen. Nachdem Abdampfen kann die Pasta mit Bolognese serviert werden.

HIRSCH-JÄGERTOPF

4 Port. 30 Min. Einfach

Zutaten

500 g Hirsch (Schulter)
3 Knoblauchzehen
200 g Champignons
125 ml Rotwein (trocken)
200 g Zwiebel
100 g Speck (gewürfelt)
250 ml Brühe
Etwas Wildgewürz
Pfeffer
Salz

Nährwerte

284 kcal
5 g Kohlenhydrate
11 g Fett
33 g Eiweiß

1 Sowohl die Knoblauchzehen als auch die Zwiebeln schalenlos in Würfel trennen. Dann die Hirschschulter abbrausen und in eine ähnliche Form verwandeln. Das Fleisch jetzt mit den Zwiebeln, dem Speck sowie dem Knoblauch in einer Pfanne anbraten.

2 Das Ganze mit dem Rotwein löschen und anschließend in den Schnellkochtopf füllen. Danach die Brühe zugießen und das Gemisch mit einem Teelöffel Wildgewürz sowie Salz und Pfeffer verfeinern.

3 Nun den Deckel fest auf dem Topf verschließen und den Kocher unter Dampf setzen. Das Ganze dann auf der zweiten Garstufe 25 Minuten köcheln lassen.

4 Währenddessen die Pilze säubern und diese in feine Scheiben zerteilen. Den Schnellkocher abdampfen und die Pilze zum Hirsch geben. Den Jägertopf noch einmal abschmecken und im Anschluss geöffnet weitere zehn Minuten vor sich hin garen lassen.

GULASCH IN CHAMPIGNON-RAHM

3 Port. 30 Min. Einfach

Zutaten

500 g Gulasch
2 Tassen Reis
Ein Viertel Liter Milch
1 Zwiebel
1 Tüte Champignon-rahmsuppe
Etwas Koriander
Pfeffer
Salz

Nährwerte

182 kcal
26 g Kohlenhydrate
5 g Fett
12 g Eiweiß

1 Das Gulasch mit der zuvor in Würfel geteilten Zwiebel mit etwas Öl im Schnellkocher anbraten. Ein Viertel Liter Wasser zugießen, den Topf schließen und das Ganze auf zweiter Stufe unter Dampf setzen.

2 In einem anderen Kochtopf währenddessen 300 Milliliter Wasser zum Kochen bringen und hier den Reis garen.

3 Den Schnellkochtopf nach 20 Minuten abdampfen und den Deckel entfernen. Jetzt die Champignonrahmsuppe separat in die Milch einrühren und diese anschließend zum Gulasch geben. Das Ganze noch mit ein bisschen Salz, Koriander und Pfeffer verfeinern und mit dem Reis genießen.

SHERRY-HÜHNCHEN

2 Port. 30 Min. Einfach

Zutaten

4 Hähnchenschenkel
30 g Oliven (grün)
6 Zwiebeln (groß)
200 ml Sherry (trocken)
200 ml Hühnerbrühe
Etwas Rotweinessig
Etwas Senf
Etwas Petersilie
Pfeffer
Salz

Nährwerte

753 kcal
36 g Kohlenhydrate
26 g Fett
60 g Eiweiß

1 Das Hühnchen ausgiebig unter Wasser abbrausen. Die Zwiebeln schalenlos vierteln und dann die Schenkel mit ein wenig Öl in einer Bratpfanne knusprig anbraten. Anschließend die Zwiebelstücke zugeben.

2 Nach ungefähr fünf Minuten die Hähnchenschenkel mit der Hühnerbrühe sowie dem Sherry löschen und den Mix aus der Pfanne in den Schnellkocher füllen.

3 Jetzt den Senf, das Salz, den Essig sowie Pfeffer zufügen, abschmecken und den Topf verschließen. Den Herd auf die höchste Stufe stellen und den Topf ordentlich unter Dampf setzen.

4 Ist die Garstufe 2 erreicht, die Temperatur senken und das Ganze zehn Minuten weitergaren. Anschließend den Kocher abdampfen und den Deckel öffnen.

5 Nun die Oliven dazugeben, den Deckel wieder fest schließen und alles auf der ausgestellten Herdplatte erneut fünf Minuten garen lassen.

6 Danach das Fleisch entnehmen und mit der Soße genießen.

ZARTE SPARERIBS

4 Port. 30 Min. Einfach

Zutaten

600 g Kotelett-Rippchen
200 g Ketchup
250 ml Brühe
100 g Zwiebeln
100 g Marmelade (Pfirsich)
Etwas Knoblauchpulver
3 Esslöffel Paprikapulver
Etwas Chilipulver
2 Esslöffel Zucker
2 Esslöffel Apfelessig
2 Teelöffel Senf
2 Teelöffel Salz

Nährwerte

381 kcal
31 g Kohlenhydrate
14 g Fett
31 g Eiweiß

1 Sowohl die Zwiebeln als auch den Knoblauch fein zerteilen. Dann etwas Chilipulver mit dem Paprikapulver, dem Zucker sowie dem Salz in einen Mixer geben und mischen. Anschließend die Spareribs so teilen, dass stets zwei Rippchen zusammenbleiben.

2 Danach ein wenig Öl im Schnellkochtopf heiß werden lassen und hier den zerhackten Knoblauch sowie die Zwiebeln glasig braten. Im Anschluss die Pfirsichmarmelade, den Apfelessig, den Ketchup, die Brühe sowie den Senf zufügen und das Ganze kurz zum Kochen bringen. Die Soße dann in eine Schüssel füllen und beiseitestellen.

3 Jetzt die Rippchen mit der Gewürzmischung einreiben und diese dann im Inneren des Schnellkochers am Topfrand aufstellen. Einen Großteil der Soße über die Rippchen geben.

4 Jetzt den Deckel fest schließen und den Topf bei Garstufe 2 unter Dampf setzen. Im Anschluss die Temperatur senken und die Rippchen eine Viertelstunde garen.

5 Währenddessen den Ofen auf 210 Grad Celsius, Grill, stellen. Nach dem Abdampfen des Schnellkochtopfs die Rippchen auf ein Backblech geben und diese mit der übrigen Soße bestreichen. Die Spareribs dann für zehn Minuten im Ofen grillen und immer wieder mit der restlichen Soße aus dem Schnellkochtopf bepinseln.

KANINCHEN MIT PREISELBEEREN-SOSSE

4 Port. 30 Min. Mittel

Zutaten

1 kg Kaninchen
50 ml Balsamicoessig
2 Teelöffel Frischkäse
1 Zwiebel
2 Esslöffel Preiselbeeren
100 g Schinkenwürfel
250 ml Gemüsebrühe
Ein Viertel Liter Traubensaft
1 Esslöffel Zucker
1 Lorbeerblatt
Etwas Senf
Etwas Mehl
Pfeffer
Salz

Nährwerte

460 kcal
27 g Kohlenhydrate
11 g Fett
60 g Eiweiß

1 Das Kaninchenfleisch abbrausen. Die Zwiebel hingegen ohne Schale in feine Würfel zerteilen. Dann das Kaninchenfleisch in einer Pfanne mit Öl kurz scharf anbraten, aus der Bratpfanne nehmen und von allen Seiten mit Senf bestreichen.

2 Jetzt noch Pfeffer sowie Salz auf das Fleisch geben. In derselben Pfanne dann die Schinkenwürfel sowie die Zwiebel anschmoren. Auch hier mit Pfeffer sowie Salz würzen und das Lorbeerblatt mit in den Mix legen. Im Anschluss noch den Zucker über alles streuen.

3 Das Ganze dann mit Mehl bestäuben und anschwitzen. Anschließend den Traubensaft sowie den Essig zugießen und danach noch die Gemüsebrühe.

4 Das Ganze jetzt in den Schnellkochtopf umfüllen, mit dem Deckel verschließen und bis zur ersten Garstufe unter Dampf setzen. Danach die Temperatur senken und alles eine halbe Stunde garen lassen.

5 Im Anschluss den Schnellkocher mit Vorsicht abdampfen lassen, das Kaninchen herausnehmen und dieses warm stellen.

6 Die Soße hingegen mit dem Frischkäse verrühren und mit ein wenig Mehl andicken. Diese dann noch mit Pfeffer, Salz und Essig verfeinern und mit dem Kaninchenfleisch servieren.

KLASSISCHER SAUERBRATEN

4 Port. 25 Min. Einfach

Zutaten

1 kg Rinderbraten
1 Soßenkuchen
2 Zwiebeln
1 Becher saure Sahne
750 ml Wasser
1 Päck. Gewürzmischung für Sauerbraten
2 Esslöffel Zucker
150 ml Essig
Pfeffer
Salz

Nährwerte

403 kcal
13 g Kohlenhydrate
15 g Fett
50 g Eiweiß

1 Die Sauerbraten-Gewürzmischung mit dem Zucker, dem Essig sowie dem Salz in einem Topf mit Wasser zum Kochen bringen. Hier dann den Rinderbraten einlegen und das am besten zwei Tage lang.

2 Im Anschluss den Sauerbraten aus dem Sud nehmen und zum Trocknen auf ein Küchentuch legen. Jetzt die Zwiebel schalenlos in kleine Stücke teilen. Dann das Fleisch in einer Pfanne scharf anbraten und dann mit der Zwiebel verfeinern. Anschließend etwas von dem Sud mit in die Bratpfanne geben und das Ganze einmal kurz aufkochen.

3 Den Sauerbraten samt Zwiebeln und Sud nun in den Schnellkochtopf geben und nach Geschmack eine Mischung aus Sud sowie Wasser zufügen. Am Ende sollten ungefähr 750 ml Flüssigkeit im Topf sein.

4 Danach den Herd auf höchste Stufe stellen und den Schnellkocher unter Dampf setzen. Ist die zweite Garstufe erreicht, kann die Temperatur reduziert werden. Bei mittlerer Hitze muss der Sauerbraten jetzt gut 40 Minuten garen.

5 Nach dieser Garzeit darf der Schnellkochtopf in Ruhe seinen Dampf ablassen. Dann den Sauerbraten aus dem Topf nehmen und die Sahne in den Sud einrühren. Anschließend den Soßenkuchen stückchenweise zufügen und alles einmal zum Kochen bringen.

6 Zu guter Letzt noch die Soße einmal durchsieben und mit dem Braten zusammen wieder in den Topf geben. Ohne Deckel darf das Ganze jetzt erneut eine gute Stunde garen. Am Ende noch alles mit Pfeffer sowie Salz verfeinern.

GEFÜLLTE PAPRIKA MIT HACK

3 Port. 30 Min. Einfach

Zutaten

500 g Hackfleisch (gemischt)
1 Zwiebel
3 Paprikaschoten (rot)
1 Ei
1 Dose Tomaten (stückig)
0,5 l Gemüsebrühe
Etwas Paprikapulver
Pfeffer
Salz

Nährwerte

496 kcal
22 g Kohlenhydrate
29 g Fett
34 g Eiweiß

1 Die Deckel der Paprika herausschneiden und das Kerngehäuse entfernen. Dann die Paprika kurz unter Wasser abbrausen.

2 Die Zwiebel von ihrer Schale lösen und den Rest in Würfel verwandeln. Dann das Hackfleisch mit dem Ei und mit Dreiviertel der Zwiebel mischen.

3 Das Zwiebel-Hack in die drei Paprika füllen und den Deckel wieder auf diese geben. Alles mit Zahnstocher feststecken.

4 Die gefüllten Paprika in den Schnellkochtopf stellen. Um diese die Dosentomaten sowie die übrigen Zwiebelwürfel verteilen.

5 Den Deckel auf dem Schnellkocher schließen und diesen bis zur Garstufe 2 unter Dampf setzen. Danach die Temperatur herunterdrehen und die Schoten 20 Minuten garen.

6 Anschließend die Herdplatte ausstellen und den Schnellkocher so lange auf dieser stehen lassen, bis der Dampf entwichen ist.

SERBISCHES REIS-FLEISCH

6 Port. 30 Min. Einfach

Zutaten

1 kg Schweinefleisch (mager)
3 Zwiebeln (groß)
Eine halbe Tube Tomatenmark
1,2 l Fleischbrühe
1 Dose Tomatenstücke
3 Paprika (rot)
2 Knoblauchzehen
3 Beutel Langkornreis
3 Teelöffel Majoran
Etwas Paprikapulver
Pfeffer
Salz

Nährwerte

380 kcal
37 g Kohlenhydrate
6 g Fett
44 g Eiweiß

1 Das Fleisch abbrausen und anschließend in drei Zentimeter große Würfel verwandeln. Gleiches mit der Paprika vornehmen. Die Zwiebeln ebenfalls würfeln.

2 Jetzt in einer Bratpfanne mit ein bisschen Öl die Fleischwürfel anbraten. Kurz vor Ende der Garzeit noch die Zwiebeln zufügen. Das Ganze im Anschluss mit etwas Brühe löschen und alles in den Schnellkocher füllen.

3 Hier nun auch die gepressten Knoblauchzehen, das Tomatenmark, die Paprikawürfel sowie die Dosentomaten zugeben. Das Ganze noch mit den genannten Gewürzen verfeinern.

4 Nun die Reisbeutel öffnen und den Reis gleich mit zum Schweinefleisch-Mix geben. Anschließend den Deckel schließen, das Ganze voll unter Dampf setzen, bis die zweite Garstufe erreicht ist, und dann bei mittlerer Hitze eine Viertelstunde weiter köcheln lassen.

5 Danach den Topf abkühlen lassen, bis der Dampf entwichen ist. Zu guter Letzt alles erneut nach Geschmack nachwürzen.

CHILI CON CARNE

4 Port. 20 Min. Einfach

Zutaten

150 g Mais (Dose)
2 Knoblauchzehen
500 g Kidneybohnen (Dose)
1 Zwiebel
1 Chilischote
1 Paprika (grün)
300 g Tomatenstücke (Dose)
3 Esslöffel Öl
1 Esslöffel Tomatenmark
400 ml Fleischbrühe
500 g Rinderhack
1 Teelöffel Chilipulver
Einen halben Teelöffel Zucker
1 Lorbeerblatt
1 Teelöffel Oregano
Einen halben Teelöffel Kreuzkümmel (gemahlen)

Nährwerte

182 kcal
26 g Kohlenhydrate
5 g Fett
12 g Eiweiß

1 Den Mais sowie die Bohnen in ein Küchensieb füllen und kurz abbrausen. Dann die Zwiebel und den Knoblauch schalenlos fein zerhacken und die Paprika in Würfel verwandeln. Die Chilischote hingegen in feine Ringe teilen. Dann noch die Tomaten abgießen.

2 Jetzt das Öl im Schnellkochtopf heiß werden lassen, die Zwiebel anbraten und anschließend das Hackfleisch hier krümelig garen. Danach den Mais, die Paprika, die Bohnen, die Chili, die Tomaten, den Knoblauch, das Lorbeerblatt sowie das Tomatenmark zugeben und alles verrühren.

3 Anschließend die Fleischbrühe zugießen und das Ganze mit den genannten Gewürzen geschmacklich verfeinern.

4 Zu guter Letzt den Schnellkochtopf schließen, unter Dampf setzen und dann bei gesenkter Hitze zehn Minuten garen. Nach dem unverzüglichen Druckabbau das Ganze mit Reis oder auch Weißbrot genießen.

HÜHNER-FRIKASSEE PLUS SPARGEL

4 Port. 30 Min. Einfach

Zutaten

1 Zwiebel (klein)
1 Suppenhuhn
1 Karotte
1 Dose Spargel
80 g Butter
1 Dose Champignons
1 Stange Lauch
1 Glas Kapern
80 g Mehl
Saft einer halben Zitrone
2 Eigelb
Pfeffer
Salz

Nährwerte

1070 kcal
22 g Kohlenhydrate
82 g Fett
64 g Eiweiß

1 Das Huhn unter Wasser säubern. Den Lauch in Stücke teilen. Gleiches nach dem Schälen mit der Karotte vornehmen, während die Zwiebel nur einmal geteilt wird.

2 Jetzt das Huhn samt Zwiebelhälften in den Schnellkochtopf legen und das Ganze mit zwei Litern Wasser auffüllen. Anschließend alles zum Kochen bringen, mit Salz verfeinern und immer wieder den Schaum vom Wasser nehmen.

3 Dann den Schnellkocher fest schließen und bei hohen Temperaturen für den nötigen Druck sorgen. Danach den Herd herunterdrehen und das Huhn ungefähr 35 Minuten garen lassen. Nach dieser Zeit den Topf vom Herd nehmen, sodass dieser eigenständig abdampfen kann.

4 Das Huhn nun zum Abkühlen aus dem Schnellkochtopf nehmen. Dieses dann häuten, das Fleisch von den Knochen nehmen und klein zerteilen. Die Hühnerbrühe durch ein Sieb gießen und ein Liter von dieser beiseitestellen.

5 Die Pilze sowie die Kapern und den Spargel abgießen, eventuell in kleine Stücke zerteilen. Jetzt noch die Butter in einem Topf heiß werden lassen und das Mehl portionsweise einrühren. Nach und nach dann den Liter Brühe zugießen. Das Ganze aufkochen und mit dem Hühnchen, den Kapern, den Pilzen sowie den Spargelstücken versehen.

6 Das Frikassee mit Zitronensaft, Pfeffer sowie Salz geschmacklich abrunden. Zum Schluss noch die zwei Eigelbe mit zwei Esslöffeln Wasser verrühren und diesen Mix ebenfalls ins Hühner-Frikassee einrühren.

Hauptgerichte mit Fisch & Meeresfrüchten

SHRIMPS AUF REIS

2 Port. 20 Min. Einfach

Zutaten

1 Tasse Reis
300 g Shrimps
2 Zwiebeln
1 Becher Sahne
100 ml Gemüsebrühe
100 g Speck (roh)
2 Esslöffel Olivenöl
Pfeffer
Salz

Nährwerte

993 kcal
48 g Kohlenhydrate
23 g Fett
37 g Eiweiß

1 Die Zwiebeln schalenlos in feine Würfel zerteilen. Dann den Speck in dieselbe Form bringen. Im Anschluss ein wenig Öl im Topf heiß werden lassen und hier die Shrimps mit den Zwiebelwürfeln anbraten.

2 Den Reis hingegen wie gewohnt in einem anderen Topf garen. Während der Reis kocht, mit der Gemüsebrühe die Shrimps löschen und gleich auch noch die Sahne zugießen. Das Ganze mit Pfeffer sowie Salz verfeinern. Dann den Schnellkochtopf verschließen.

3 Nun die Shrimps unter leichtem Druck fünf Minuten garen. Danach den Topf abdampfen und die Shrimps mit dem Reis genießen.

FIXER ZANDER

2 Port. 20 Min. Einfach

Zutaten

2 Zanderfilets
1 Teelöffel Weißwein
1 Teelöffel Wasser
Pfeffer
Salz

Nährwerte

251 kcal
3 g Kohlenhydrate
19 g Fett
19 g Eiweiß

1 Die Filets abbrausen, trocknen und unter Umständen die Gräten entfernen. Den Fisch dann von beiden Seiten mit Pfeffer sowie Salz verfeinern.

2 Dann den Boden des Schnellkochtopfes mit der Weißwein-Wasser-Mischung bedecken und den Zander in den Dämpfeinsatz legen. Jetzt den Deckel und das Ventil schließen und bei niedriger Temperatur lediglich zwei Minuten garen.

3 Dann den Herd abstellen, aber den Schnellkochtopf auf der Platte belassen. Das Ganze mit Vorsicht abdampfen.

KARTOFFEL-THUNFISCH-EINTOPF

4 Port. 30 Min. Einfach

Zutaten

400 g Thunfisch-Steak
400 g Dosen Tomaten (stückig)
500 g Kartoffeln (festkochend)
1 Paprika (rot)
2 Esslöffel Gewürzpaste
1 Lorbeerblatt
Etwas geräuchertes Paprikapulver
1 Teelöffel Oregano
1 Handvoll Oliven (grün)
1 Esslöffel Öl
Pfeffer
Salz

Nährwerte

444 kcal
87 g Kohlenhydrate
5 g Fett
9 g Eiweiß

1 Die Kartoffeln von ihrer Schale befreien und in Würfel verwandeln. Dann die Paprika entkernen und in dieselbe Form bringen. Beide Zutaten anschließend mit Öl im Dampftopf garen. Die Würzpaste kann ebenfalls untergerührt werden.

2 Danach folgen die Dosentomaten sowie das Lorbeerblatt. Während das Ganze ein wenig vor sich hin köchelt, können der Thunfisch in Würfel geteilt und die Oliven einmal in der Mitte getrennt werden.

3 Danach die Thunfischwürfel sowie die Oliven zum Rest in den Kocher geben. Über das Ganze den Oregano streuen und dann den Deckel des Dampfkochers schließen. Nachdem der Topf voll unter Dampf gesetzt wurde, muss alles drei Minuten garen.

4 Anschließend gilt es, die Warmhaltestufe von zehn Minuten zu wählen. Dann den übrigen Dampf mit Vorsicht aus dem Topf lassen und das Ganze mit den genannten Gewürzen verfeinern.

FISCHSUPPE MIT GEMÜSE

4 Port. 40 Min. Einfach

Zutaten

1 kg Dorade (küchenfertig)
200 ml Weißwein (trocken)
1 Bund Suppengrün
3 Schalotten
1 Zwiebel
1 Stange Staudensellerie
3 Tomaten
1 Bund Petersilie
5 Knoblauchzehen
Etwas Zitronensaft
Pfeffer
Salz

Nährwerte

300 kcal
13 g Kohlenhydrate
12 g Fett
29 g Eiweiß

1 Das Fischfilet aus den Fischen trennen, abbrausen und in Stücke teilen. Dies dann in Folie wickeln und kühl lagern. Anschließend das Suppengemüse in kleine Stücke verwandeln und die Zwiebel samt Knoblauchzehen ohne Schale fein zerhacken. Gleiches mit der Petersilie vornehmen. Die Tomaten hingegen säubern, die Stiele entfernen und den Rest in kleine Würfel zerteilen. Nun die Hälfte des Gemüses zur Seite stellen.

2 Nun die zerhackte Zwiebel sowie die Knoblauchzehen mit dem übrigen Gemüse und der Petersilie in den Kocher geben. Obenauf ein Liter Wasser sowie den Weißwein gießen. Das Ganze unter Druck setzen und anschließend bei kleinerer Temperatur zehn Minuten garen lassen. Danach den Druck sofort ablassen.

3 Jetzt die Fischköpfe sowie die Gräten in den Topf legen und das Ganze lediglich halb unter Druck setzen. Den Herd dann abschalten und den Schnellkocher weitere zehn Minuten auf der Platte stehen lassen. Nach dem Abdampfen den Inhalt durch ein Tuch zurück in den Kochtopf gießen. Die Fischstücke aus der Folie nehmen, mit Pfeffer sowie Salz bestreuen und mit dem Zitronensaft beträufeln. Im Anschluss den Fisch mit zum Sud geben und gar ziehen lassen.

4 Das zuvor zurückgelegte Gemüse blanchieren und mit in die Suppe geben. Zum Schluss das Ganze noch mit Pfeffer sowie Salz verfeinern.

DEFTIGES FISCH-RAGOUT

3 Port. 30 Min. Einfach

Zutaten

500 g Lachsfilet
1 Zwiebel (groß)
100 ml Sahne
2 Paprika (rot)
500 g Sauerkraut
3 Tomaten (getrocknet)
250 ml Wasser
1 Lorbeerblatt
Etwas Paprikapulver
Etwas Instant-Brühe
Etwas Dill
Pfeffer
Salz

Nährwerte

327 kcal
12 g Kohlenhydrate
16 g Fett
31 g Eiweiß

1 Die Zwiebel sowie den Knoblauch ohne Schale fein reiben. Dann die Paprika und die getrockneten Tomaten in Streifen verwandeln. In einer Bratpfanne ein bisschen Öl heiß werden lassen und hier Knoblauch und Zwiebel dünsten. Im Anschluss die Paprika- sowie Tomatenstreifen zufügen und das Sauerkraut unterrühren. Über das Ganze einen Teelöffel Instant-Brühe verteilen und mit Wasser löschen.

2 Den Sauerkraut-Mix anschließend in den Schnellkochtopf füllen. Jetzt noch den Lachs in Würfel verwandeln und ebenfalls in den Topf geben. Alles mit Pfeffer sowie Salz bestreuen und auch ein wenig Paprikapulver nicht vergessen. Dann den Topf schließen und bis zur Garstufe 1 unter Druck setzen. Danach alles bei geringerer Hitze acht Minuten garen.

3 Nach den acht Minuten den Schnellkocher unter kaltes Wasser halten. Nicht abdampfen! Jetzt noch die Sahne ins Ragout gießen und den Dill einstreuen.

ROTBARSCH MIT CHINAKOHL

2 Port. 30 Min. Mittel

Zutaten

200 g Chinakohl
2 Rotbarschfilets
3 Lauchzwiebeln
250 ml Wasser
2 Limette
1 Stück Ingwer (klein)
1 Chili
1 Paprika (rot)
Etwas Sesamöl (dunkel)
Etwas Zitronengras
Etwas Koriander
Etwas Sojasoße
Chiliflocken
Pfeffer
Salz

Nährwerte

272 kcal
6 g Kohlenhydrate
9 g Fett
40 g Eiweiß

1 Die Rotbarschfilets abbrausen, trocknen und mit Chiliflocken sowie Salz versehen. Dann den Ingwer mit dem Saft der Limette, der Chili sowie der Sojasoße pürieren. Diesen Mix auf den Fisch auftragen und das Ganze eine Stunde im Kühlschrank durchziehen lassen.

2 Währenddessen das Gemüse säubern und in feine Streifen verwandeln. Dieses dann mit zwei Esslöffeln Sesamöl und ein bisschen Salz mischen. Dann von der zweiten Limette die Schale abreiben und den Rest in Scheiben teilen. Letzteres mit ein bisschen Zitronengras in den Schnellkocher legen und 250 Milliliter Wasser zugießen.

3 Das Gemüse füllen Sie nun in den Dämpfeinsatz des Kochers und oben auf den eingelegten Fisch. Jetzt alles verschließen und bis zur ersten Garstufe Druck aufbauen. Anschließend die Temperatur senken und alles fünf Minuten garen lassen.

4 Nach den fünf Minuten gilt es, das Ganze noch mit dem Koriander sowie ein paar Limettenschalen zu verfeinern.

Vegetarisch

RISOTTO MIT SPARGEL

4 Port. 30 Min. Einfach

Zutaten

50 g Parmesankäse (gerieben)
500 g Spargel
1 Zwiebel
75 g Butter
500 ml Gemüsebrühe
3 Knoblauchzehen
300 g Reis
Etwas Weißwein (trocken)
Etwas Bärlauch

Nährwerte

769 kcal
30 g Kohlenhydrate
61 g Fett
11 g Eiweiß

1 Den Spargel von seiner Schale befreien und aus diesem mit einem halben Liter Wasser einen Sud zubereiten. Die Spargelstangen hingegen in Stücke teilen. Dann noch die Knoblauchzehen sowie die Zwiebel ohne Schale fein zerhacken.

2 Jetzt ein wenig von der Butter im Schnellkochtopf heiß werden lassen und Knoblauch sowie Zwiebel andünsten. Sind diese glasig, den Reis zugeben und das Ganze mit dem trockenen Weißwein versehen. Die Flüssigkeit nun fast komplett einkochen lassen und alles kräftig mit Pfeffer sowie Salz bestreuen.

3 Dann die Spargelstücke dazugeben und den Spargelsud durch ein Küchensieb ebenfalls in den Schnellkochtopf füllen. Den Topf fest verschließen und auf Garstufe 1 stellen. Sieben Minuten muss das Risotto nun garen.

4 Nach dem Abdampfen gilt es nur noch, den Parmesankäse, den zuvor klein gehackten Bärlauch sowie die übrige Butter unterzurühren.

QUER-DURCH-DEN-GARTEN-EINTOPF

4 Port. 30 Min. Einfach

Zutaten

8 Tomaten (klein)
200 g Bohnen (grüne)
5 Karotten
1 Zwiebel
1 Zucchini
4 Kartoffeln
1,5 l Wasser
Etwas Instant-Brühe
4 Esslöffel Dosenmilch
Etwas Öl
Paprikapulver
Pfeffer
Salz

Nährwerte

127 kcal
24 g Kohlenhydrate
1 g Fett
5 g Eiweiß

1 Die grünen Bohnen in der Mitte brechen und die Zwiebel schalenlos fein hacken. Dann die Kartoffeln, die Karotten sowie die Zucchini von ihren Schalen lösen und den Rest in Würfel verwandeln. Die kleinen Tomaten lediglich teilen.

2 Jetzt ein bisschen Öl im Schnellkocher heiß werden lassen und die Zwiebelstückchen glasig dünsten. Portionsweise dann das Gemüse zugeben und alles mit eineinhalb Litern Wasser löschen.

3 Jetzt den Deckel auf den Topf geben und diesen auf die erste Garstufe stellen. Sobald diese erreicht ist, das Ganze eine Viertelstunde garen lassen. Im Anschluss den Schnellkochtopf vom Herd ziehen, sodass dieser von allein drucklos wird.

4 Zu guter Letzt noch die Dosenmilch unterrühren und alles mit Pfeffer, Paprikapulver sowie Salz verfeinern.

WÜRZIGES GEMÜSE-CHILI

2 Port. 30 Min. Einfach

Zutaten

250 ml Gemüsebrühe
50 g Grünkern
2 Paprika (rot)
1 Zwiebel
1 Zucchini
Etwas Knoblauch
1 Dose Bohnen (rot)
1 Päckchen passierte Tomaten
1 Chili
Etwas Paprikapulver
Pfeffer
Salz

Nährwerte

336 kcal
61 g Kohlenhydrate
3 g Fett
15 g Eiweiß

1 Die Gemüsebrühe mit dem Grünkern in den Schnellkochtopf geben und den Deckel schließen. Das Ganze jetzt bis zur Garstufe 2 erhitzen und anschließend eine halbe Stunde garen lassen. Danach den Topf vom Herd nehmen und eine weitere Viertelstunde ziehen lassen. Anschließend das Ganze durch ein Küchensieb gießen.

2 Während der Grünkern gart, die Zwiebel und den Knoblauch zerhacken und beides wenige Minuten in einer Pfanne mit Öl dünsten. Die Paprika abbrausen und ohne Stiel sowie Kerne klein zerteilen. Die Zucchini von ihrer Schale befreien und in eine ähnliche Form bringen. Beide Zutaten kurz zum Zwiebel-Knoblauch-Mix in die Pfanne geben. Anschließend die passierten Tomaten zugeben.

3 Jetzt die Bohnen kurz säubern und mit in die Pfanne geben. Den Grünkern ebenfalls unterrühren. Gleiches mit dem zuvor zerhackten Chili vornehmen. Das Ganze dann noch ein paar Minuten köcheln lassen und mit Paprikapulver, Pfeffer sowie Salz geschmacklich verfeinern.

KAROTTEN IN SENF-SAHNE-SOSSE

2 Port. 20 Min. Einfach

Zutaten

1 Zwiebel
3 Karotten
50 ml Sahne
1 Esslöffel Kürbiskerne
Ein Viertel Liter Wasser
Etwas Senf

Nährwerte

155 kcal
10 g Kohlenhydrate
10 g Fett
5 g Eiweiß

1 Die Karotten säubern und in ganz feine Scheiben trennen. Ohne Schale hingegen die Zwiebel fein hacken. Danach beide Zutaten mit etwas Wasser in den Dämpfeinsatz des Schnellkochtopfs geben. Den Deckel fest schließen und das Ganze bis auf Garstufe aufheizen. Zwischen zwei und drei Minuten muss das Gemüse jetzt garen.

2 Im Anschluss den Topf vom Herd nehmen und diesen langsam abdämpfen. Dann das Gemüse herausnehmen und in eine Schüssel füllen.

3 Anschließend die Sahne mit etwas Senf sowie Pfeffer und Salz verrühren und diese über die Karotten geben. Zu guter Letzt das Ganze noch mit den Kürbiskernen bestreuen.

KARTOFFELN IN SAHNE-SOSSE

4 Port. 30 Min. Einfach

Zutaten

100 ml Sahne
1 kg Kartoffeln
40 g Butter
1 Zwiebel
2 Tassen Wasser
Etwas Gouda (gerieben)
Etwas Muskatnuss
Pfeffer
Salz

Nährwerte

345 kcal
46 g Kohlenhydrate
14 g Fett
7 g Eiweiß

1 Die Kartoffeln von ihrer Schale befreien und den Rest in feine Scheiben verwandeln. Danach die Zwiebel, natürlich ohne Schale, in kleine Stücke zerteilen. Jetzt die Butter im Schnellkocher heiß werden lassen und hier die Zwiebel hineingeben. Nach wenigen Minuten können die Kartoffelscheiben folgen. Das Ganze anschließend mit Wasser auffüllen.

2 Nun den Deckel auf den Topf setzen und die Herdplatte anstellen. Den Schnellkochtopf auf Garstufe 1 stellen. Ist diese erreicht, müssen die Kartoffeln noch fünf Minuten garen.

3 Danach den Schnellkocher abkühlen lassen und dann erst die Sahne dazu gießen. Jetzt noch den geriebenen Gouda unter das Ganze mischen und die Soße mit Pfeffer, Salz sowie Muskatnuss nach Geschmack verfeinern.

MÖHREN-EINTOPF

2 Port. 30 Min. Einfach

Zutaten

100 g Sellerie
3 Zwiebeln
3 Möhren
Etwas Lauch
Einen halben Teelöffel Instant-Brühe
Einen halben Teelöffel Ras el Hanout
Pfeffer
Salz

Nährwerte

129 kcal
23 g Kohlenhydrate
1 g Fett
6 g Eiweiß

1 Das gesamte Gemüse säubern und dann in 1 Zentimeter große Würfel zerteilen. Jetzt ein bisschen Öl im Schnellkochtopf heiß werden lassen und hier das Gemüse kurz blanchieren. Anschließend so viel Wasser zugießen, dass die Zutaten bedeckt sind.

2 Nun das Ganze mit der Instant-Brühe, Ras el Hanout sowie Salz und Pfeffer verfeinern. Im Anschluss den Deckel schließen und alles bis auf Garstufe 1 erhitzen. Ist die Temperatur erreicht, den Herd herunterdrehen und das Ganze fünf Minuten garen lassen.

3 Im Anschluss den Schnellkocher mit Vorsicht abdampfen und den Möhren-Eintopf genießen.

GEFÜLLTER MINI-KÜRBIS MIT REIS

2 Port. 30 Min. Mittel

Zutaten

100 ml Sahne
2 Mikrowellenkürbisse (klein)
120 g Reis
100 g Maronen (gegart)
100 g Gouda (gerieben)
Etwas Instant-Brühe
Etwas Petersilie
Pfeffer
Salz

Nährwerte

529 kcal
56 g Kohlenhydrate
23 g Fett
22 g Eiweiß

1 Die Deckel von den Kürbissen entfernen und die gesamten Kerne aus dem Inneren lösen. Jetzt noch das Fruchtfleisch auslöffeln. Dieses im Anschluss mit den Maronen klein zerteilen. Die Petersilie hingegen zerhacken.

2 Sämtliche Zutaten, die zuvor in kleine Stücke verwandelt wurden, nun mit dem Reis vermengen. Das Ganze ausgiebig würzen und den Mix dann in die Kürbisse füllen.

3 Die gefüllten Kürbisse jetzt in das Dämpfgestell setzen und nach Bedienungsanleitung Wasser in den Kocher füllen. Anschließend den Topf auf die höchste Garstufe stellen und danach bei etwas geringerer Hitze die Kürbisse eine Viertelstunde garen lassen.

4 Danach den Schnellkocher abdampfen und die gefüllten Kürbisse genießen.

SAHNIGE KRÄUTERSUPPE

4 Port. 30 Min. Einfach

Zutaten

Eine halbe Sellerieknolle
200 ml Sahne
2 Kartoffeln (groß)
1 Karotte
1 Zwiebel
30 g Butter
1 Zucchini
100 ml Weißwein (trocken)
25 g Mehl
Etwas Fenchel
1 Bund Petersilie
1 Bund Schnittlauch
Nelke
Pfeffer
Salz

Nährwerte

287 kcal
20 g Kohlenhydrate
18 g Fett
5 g Eiweiß

1 Das gesamte Gemüse in kleine Stücke verwandeln, in den Schnellkochtopf geben und mit Pfeffer, Nelke sowie Salz verfeinern. Auf das gewürzte Gemüse dann noch zwei Liter Wasser gießen und das Ganze mit dem Deckel fest verschließen.

2 Den Schnellkocher nun bis zur Garstufe 2 erhitzen und dann für zehn Minuten auf der Herdplatte belassen. Währenddessen können sämtliche Kräuter fein zerhackt werden.

3 Nach dem Abdampfen des Topfes die Suppe durch ein Sieb füllen und auffangen. Im leeren Schnellkochtopf dann die Butter zerlassen und das Mehl hier anschwitzen. Im Anschluss den Weißwein und einen Großteil der Brühe zugießen.

4 Anschließend folgen die Sahne sowie die Kräuter. Das Ganze dann mit einem Pürierstab bearbeiten.

KÜRBIS-KARTOFFEL-PÜREE

4 Port. 20 Min. Einfach

Zutaten

500 g Hokkaido-Kürbis
250 ml Sahne
750 g Kartoffeln (mehlig)
300 ml Gemüsebrühe
1 Bund Pfefferminze
Etwas Muskatnuss (gerieben)
Pfeffer
Salz

Nährwerte

360 kcal
37 g Kohlenhydrate
20 g Fett
7 g Eiweiß

1 Den Kürbis von seiner Schale sowie von den Kernen befreien und den Rest in Würfel verwandeln. Auch die Kartoffeln ohne Schale in diese Form bringen.

2 Anschließend die Kartoffel- sowie Kürbiswürfel in den Schnellkochtopf füllen, mit Salz bestreuen und mit der Gemüsebrühe bedecken. Jetzt den Deckel samt Ventil am Topf schließen und diesen unter Druck setzen. Danach das Ganze acht Minuten garen lassen.

3 Nachdem der Topf auf der ausgestellten Platte abgedampft ist, gilt es, den Kartoffel-Kürbis-Mix zu pürieren und mit Muskatnuss, Pfeffer sowie Salz zu verfeinern.

4 Jetzt noch die Sahne schlagen und diese unter das Püree geben. Zu guter Letzt noch die Minze hacken und auch diese ins Püree mischen.

Vegan

KNOBLAUCH-ZUCCHINI-NUDELN

2 Port. 30 Min. Einfach

Zutaten

3 Zucchini
2 Knoblauchzehen
3 Karotten
1 Esslöffel Knoblauchpulver
500 ml Gemüsebrühe
2 Esslöffel Olivenöl
Pfeffer

Nährwerte

137 kcal
3 g Kohlenhydrate
14 g Fett
1 g Eiweiß

1 Nachdem die Karotten sowie die Zucchini gesäubert wurden, diese in Spiralen verwandeln. Dann die Knoblauchzehen ohne Schale zerhacken und diese drei Zutaten mit der Gemüsebrühe, dem Olivenöl sowie einer Prise Pfeffer und dem Knoblauchpulver in den Schnellkochtopf geben.

2 Deckel sowie Ventil des Topfes fest verschließen und alles bei hohem Druck rund vier Minuten garen lassen. Danach den Schnellkocher abdampfen und die Knoblauch-Zucchini-Nudeln anrichten.

BRAUNER REIS MIT JALAPENOS

2 Port. 20 Min. Einfach

Zutaten

2 Knoblauchzehen
2 Tassen Reis (braun)
1 Jalapeño
60 ml Tomatenmark
1 Zwiebel
Etwas Olivenöl
Salz

Nährwerte

450 kcal
94 g Kohlenhydrate
3 g Fett
9 g Eiweiß

1 Sowohl die Knoblauchzehen als auch die Zwiebel fein zerhacken. Dann beides mit ein bisschen Öl im Dampfkocher dünsten. Danach den braunen Reis mit der zuvor zerhackten Jalapeño und das Tomatenmark zufügen. Alles gut verrühren.

2 Jetzt noch einen guten Schuss Wasser dazugeben und alles erneut mischen. Den Deckel auf den Schnellkocher geben und das Ganze mit Hilfe hoher Temperaturen unter Druck setzen. Eine Viertelstunde muss das Gericht nun garen.

3 Anschließend den Topf abdampfen und den braunen Reis mit Jalapeños servieren.

ROTER LINSENEINTOPF

4 Port. 30 Min. Einfach

Zutaten

1,5 l Wasser
250 g Linsen (rot)
2 Kartoffeln (groß)
1 Karotte
1 Zwiebel
3 Lauchzwiebeln
1 Esslöffel Kokosnussöl
Etwas Ingwer
Etwas Knoblauch
Etwas Kümmel
Etwas Instant-Brühe
Etwas Curry
Etwas Chili
Etwas Koriander
Pfeffer
Salz

Nährwerte

278 kcal
46 g Kohlenhydrate
1 g Fett
18 g Eiweiß

1 Die Linsen in ein Sieb füllen und abbrausen. Während diese abtropfen, den Knoblauch, die Zwiebel sowie ein kleines Stück Ingwer ohne Schale klein zerteilen. Das übrige Gemüse ebenfalls in kleine Stücke verwandeln.

2 Jetzt das Kokosnussöl im Schnellkochtopf heiß werden lassen und dann den Kümmel sowie die Zwiebel und den Knoblauch darin schwenken. Das übrige Gemüse ebenfalls hier dünsten.

3 Danach das Wasser zugießen und alles nach Geschmack mit den Gewürzen verfeinern. Im Anschluss den Deckel auf den Topf geben und das Ganze bis zur Garstufe 2 erhitzen. Lediglich fünf Minuten muss die Suppe köcheln. Danach den Topf unverzüglich abdampfen und mit dem Pürierstab alles fein mischen.

BUNTES MISCHGEMÜSE

2 Port. 30 Min. Einfach

Zutaten

200 g Blumenkohl
1 Zwiebel
100 g Rosenkohl
1 Stange Lauch
250 g Karotten
250 g Kartoffeln
500 ml Wasser
Etwas Instant-Brühe
Etwas Petersilie
Etwas Muskatnuss
Pfeffer
Salz

Nährwerte

246 kcal
45 g Kohlenhydrate
1 g Fett
12 g Eiweiß

1 Den Blumenkohl in kleine Röschen trennen. Den Rosenkohl lediglich säubern und die Zwiebel samt dem Lauch in Ringe zerteilen. Die Karotten sowie die Kartoffeln von ihrer Schale befreien und in Würfel verwandeln.

2 Jetzt im Schnellkochtopf ein bisschen Öl heiß werden lassen und hier erst die Zwiebelringe andünsten und dann das übrige Gemüse zugeben. Über das Ganze dann drei Esslöffel Instant-Brühe verteilen und einen halben Liter Wasser zugießen.

3 Nachdem der Deckel auf dem Schnellkocher fest verschlossen wurde, gilt es, das Ganze bis zur Garstufe 1 zu erhitzen. Danach die Temperatur herunterdrehen und das Gemüse zehn Minuten garen lassen.

4 Nachdem sofortigen Abdampfen das Mischgemüse noch mit Petersilie, Muskatnuss, Pfeffer sowie Salz verfeinern.

SCHNELLE POLENTA

1 Port. 15 Min. Einfach

Zutaten

Etwas Salz
100 g Maisgrieß
Wasser

Nährwerte

349 kcal
74 g Kohlenhydrate
1 g Fett
9 g Eiweiß

1 Den Maisgrieß mit ein bisschen Salz sowie Wasser so lange verkneten, bis das Ganze zu einem festen Teig wird. Immer wieder einen Schluck Wasser zugießen.

2 Anschließend das Ganze zu einer Kugel formen und diese in das Dämpfgestell des Schnellkochtopfs legen. Den Deckel fest schließen und den Topf bis zur Garstufe 2 erhitzen. Alles jetzt für circa drei Minuten garen lassen.

3 Danach den Schnellkocher vom Herd ziehen und den Topf von allein auskühlen lassen. Die Polenta muss jetzt nur noch in Scheiben geteilt werden.

BUNTER GEMÜSE-REIS

2 Port. 30 Min. Einfach

Zutaten

3 Karotten
3 Lauchzwiebeln
1 Paprika (rot)
2 Tassen Basmatireis
3 Tassen Wasser
Etwas Gemüsepaste
Etwas Currypulver
Etwas Petersilie
Pfeffer
Salz

Nährwerte

226 kcal
48 g Kohlenhydrate
1 g Fett
5 g Eiweiß

1 Die Karotten, die Lauchzwiebeln sowie die Paprika säubern und in kleine Stücke zerteilen. Dann im Schnellkochtopf etwas Gemüsepaste in drei Tassen Wasser einrühren und hier gleich den Reis zugeben. Dieser sollte vollständig von der Flüssigkeit bedeckt sein.

2 Jetzt den Deckel samt Ventil schließen und alles bis zur zweiten Garstufe unter Dampf setzen. Das Ganze gart nun fünf Minuten vor sich hin. Dann den Schnellkocher vom Herd nehmen.

3 Nach dem vorsichtigen Abdampfen gilt es, den Inhalt einmal gut durchzumischen und mit den genannten Gewürzen geschmacklich zu verfeinern.

CURRY-SPAGHETTI MIT TOFU

2 Port. 30 Min. Einfach

Zutaten

50 g Currypaste
90 g Räucher-Tofu
1 Paprika
170 g Hartweizen-Spaghetti
2 Lauchzwiebeln

Nährwerte

432 kcal
67 g Kohlenhydrate
8 g Fett
21 g Eiweiß

1 Sowohl die Lauchzwiebeln als auch die Paprika in kleine Stücke zerteilen. Erstgenanntes dann mit ein bisschen Öl im Schnellkochtopf dünsten. Das Ganze dann mit Wasser löschen und alles einmal zum Kochen bringen.

2 Nun die Spaghetti zugeben. Diese sollten gerade so mit Flüssigkeit bedeckt sein. Obenauf dann die Paprika geben und über das Ganze den Räucher-Tofu legen.

3 Jetzt Deckel sowie Ventil fest verschließen und den Schnellkocher bis zur ersten Garstufe erhitzen. Das Ganze muss jetzt circa drei Minuten garen.

4 Im Anschluss den Kocher vom Herd nehmen und vorsichtig das Abdampfen in Angriff nehmen. Dann den Inhalt einmal gut durchmischen und alles eventuell mit Gewürzen nach Wahl verfeinern.

KICHERERBSEN-CURRY-MIX

2 Port. 30 Min. Einfach

Zutaten

2 Zwiebeln
250 g Kichererbsen
1 Knoblauchzehe
1 Päckchen passierte Tomaten
500 ml Wasser
1 Stück Ingwer
Etwas Kurkuma
Etwas Marsala
Etwas Kreuzkümmel
Etwas Chilipulver
Salz

Nährwerte

267 kcal
46 g Kohlenhydrate
3 g Fett
12 g Eiweiß

1 Sowohl den Ingwer als auch die Knoblauchzehe sowie die Zwiebeln fein zerhacken und alles zusammen mit ein wenig Öl im Schnellkochtopf anbraten. Danach den halben Liter Wasser zugießen.

2 Im Anschluss noch die passierten Tomaten sowie das Tomatenmark dazugeben und auch die Kichererbsen nicht vergessen. Alles mit den genannten Gewürzen geschmacklich abrunden.

3 Danach den Deckel auf den Topf setzen und diesen bis zur Garstufe 2 erhitzen. Jetzt darf das Ganze 35 Minuten garen. Nach dieser Zeit einfach den Herd abstellen, sodass der Schnellkochtopf von allein abdampfen kann.

4 Zu guter Letzt alles noch einmal mit den Gewürzen verfeinern.

KAROTTEN-ZUCCHINI-SÜPPCHEN

4 Port. 30 Min. Einfach

Zutaten

6 Karotten
2 Zucchini
5 Kartoffeln
1 Zwiebel
1 Knoblauchzehe
1 l Wasser
Etwas Paprikapulver
Etwas Instant-Brühe
Ewas Chilipulver
Pfeffer
Salz

Nährwerte

125 kcal
25 g Kohlenhydrate
1 g Fett
5 g Eiweiß

1 Den Knoblauch samt Zwiebel ohne Schale in kleine Würfel verwandeln. Dann das übrige Gemüse in circa ein Zentimeter große Stücke zerteilen und das Ganze mit etwas Öl im Schnellkochtopf andünsten.

2 Dann einen Liter Wasser im Wasserkocher heiß werden lassen und dieses in den Topf geben. Diesen mit dem Deckel verschließen und bis zur ersten Garstufe erhitzen.

3 Gute zehn Minuten muss die Suppe jetzt garen. Danach den Schnellkocher auf einer kalten Platte abkühlen lassen.

4 Zum Schluss die Suppe mit einem Pürierstab bearbeiten und mit allen hier genannten Gewürzen geschmacklich abrunden.

One-Pot-Gerichte

PFEFFRIGER KARTOFFEL-MAIS

4 Port. 20 Min. Einfach

Zutaten

500 g Kartoffeln
400 g Mais
2 Knoblauchzehen
1 Esslöffel Knoblauchpulver
750 ml Gemüsebrühe
1 Esslöffel Maisstärke
3 Esslöffel Pfeffer (rot)
1 Esslöffel Chilipulver
3 Esslöffel Olivenöl
Einen halben Teelöffel Pfeffer (weiß)

Nährwerte

278 kcal
37 g Kohlenhydrate
12 g Fett
6 g Eiweiß

1 Die Kartoffeln ohne Schale in Würfel zerteilen. Die Knoblauchzehen hingegen zerhacken. Dann sämtliche Zutaten in den Schnellkochtopf geben und alles gut miteinander vermischen.

2 Jetzt den Deckel samt Ventil fest verschließen und das Ganze bei schwacher Hitze unter Dampf setzen. Gute sechs Stunden darf dieses Gericht nun vor sich hin köcheln.

SCHINKEN-GEMÜSE-REIS

4 Port. 20 Min. Einfach

Zutaten

400 g Basmatireis
1 Päckchen gemischtes Gemüse (tiefgekühlt)
500 ml Gemüsebrühe
200 g Kochschinken
Pfeffer
Salz

Nährwerte

499 kcal
83 g Kohlenhydrate
9 g Fett
21 g Eiweiß

1 Den Kochschinken in Würfel zerteilen und das Tiefkühl-Gemüse einmal im Schnellkocher aufkochen. Dann das Wasser abgießen und das Gemüse mit dem Basmatireis, der Gemüsebrühe und dem Kochschinken erneut in den Dampfkocher füllen.

2 Den Deckel und das Ventil schließen und alles bei hoher Temperatur unter Dampf setzen. 20 Minuten muss das Ganze garen. Danach den Topf abdampfen, alles einmal durchrühren und mit Pfeffer sowie Salz geschmacklich abrunden.

CREMIGE GRÜNE SPARGELSUPPE

2 Port. 30 Min. Einfach

Zutaten

250 g Spargel (grün)
125 ml Sahne
2 Kartoffeln
500 ml Gemüsebrühe
Eine Handvoll Bärlauch
Etwas Muskatnuss
Salz

Nährwerte

85 kcal
16 g Kohlenhydrate
1 g Fett
4 g Eiweiß

1 Die holzigen Enden am Spargel entfernen und den Rest in Stücke teilen. Die Kartoffeln hingegen erst einmal von ihrer Schale befreien und dann in Würfel verwandeln. Den Bärlauch kurz abbrausen und dann fein zerhacken.

2 Das Ganze jetzt mit der Gemüsebrühe in den Schnellkochtopf geben und bis zur Garstufe 2 erhitzen. Das Ganze dann 10 Minuten köcheln lassen und anschließend vorsichtig abdampfen.

3 Danach noch die Sahne zur Suppe geben und alles mit Muskatnuss sowie Salz abschmecken. Anschließend das Ganze noch cremig pürieren.

GRÜNKOHL MIT KARTOFFELN UND KASSELER

4 Port. 30 Min. Einfach

Zutaten

600 g Kasseler
5 mittelgroße Kartoffeln
1 kg Grünkohl (tiefgekühlt)
2 Zwiebeln
500 ml Wasser
Etwas Senf
Muskatnuss
Salz

Nährwerte

407 kcal
17 g Kohlenhydrate
20 g Fett
38 g Eiweiß

1 Die Schale von den Zwiebeln nehmen und den Rest in kleine Würfel verwandeln. Dann das Kasseler abbrausen und dieses ebenfalls in Stücke teilen. Die Kartoffeln hingegen ohne Schale reiben.

2 Jetzt im Schnellkochtopf ein wenig Öl heiß werden lassen und die Zwiebelwürfel garen. Sind sie glasig, kann der Grünkohl zugegeben werden. Das Ganze kräftig mit Salz bestreuen und anschließend den halben Liter Wasser zugießen.

3 Nun kann der Deckel des Schnellkochtopfs geschlossen werden. Den Topf dann bis zur zweiten Garstufe erhitzen und den Grünkohl zehn Minuten garen lassen.

4 Danach den Topf unter kaltem Wasser abbrausen und die Kasseler-Stücke unter den Grünkohl mischen. Erneut alles unter Druck setzen und weitere zehn Minuten köcheln lassen.

5 Im Anschluss den Topf eigenständig abdampfen lassen und die geriebenen Kartoffeln zum Binden unter den Grünkohl mischen.

CREMIGE LAUCH-KÄSESUPPE

6 Port. 30 Min. Einfach

Zutaten

200 ml Sahne
500 ml Gemüsebrühe
500 g Lauch
1 Päckchen Kräuter-Schmelzkäse
Muskatnuss

Nährwerte

417 kcal
25 g Kohlenhydrate
24 g Fett
22 g Eiweiß

1 Den Lauch säubern und in feine Ringe zerteilen. Diese dann in den Dämpfeinsatz des Schnellkochtopfs legen und die Gemüsebrühe zugießen. Den Deckel auf dem Kocher fest verschließen und das Ganze bis zur Garstufe 2 heiß werden lassen. Dann das Ganze acht Minuten garen.

2 Im Anschluss den Topf unter kaltem Wasser abdampfen und den Lauch aus dem Einsatz in die Gemüsebrühe schütten. Jetzt den Lauch-Brühe-Mix kräftig durchpürieren und anschließend den Schmelzkäse sowie die Sahne unterrühren. Hat sich der Käse vollständig aufgelöst, muss die Lauch-Käsesuppe nur noch mit Muskatnuss verfeinert werden.

PASTA MIT SAHNE-SCHINKEN-SOSSE

4 Port. 30 Min. Einfach

Zutaten

500 g Nudeln nach Wahl
80 g Schinken (roh)
200 g Schinken (gekocht)
400 g Gouda (gerieben)
750 ml Rinderbrühe
1 Becher Sahne
Pfeffer
Salz

Nährwerte

1017 kcal
89 g Kohlenhydrate
44 g Fett
62 g Eiweiß

1 Den rohen sowie den gekochten Schinken in Würfel verwandeln. Dann die Rinderbrühe mit den Nudeln in den Schnellkochtopf geben. Die Sahne zugießen und auch die Schinkenwürfel dazugeben.

2 Jetzt Deckel und Ventil schließen und den Topf unter Dampf setzen. Lediglich fünf Minuten muss das Ganze garen. Danach den Topf unter kaltes Wasser halten und den Deckel abnehmen.

3 Das Ganze bei geringen Temperaturen erneut auf die Platte stellen und den geriebenen Gouda zufügen. Hat sich dieser aufgelöst, muss das Ganze nur noch mit Pfeffer sowie Salz verfeinert werden.

DEFTIGE GULASCHSUPPE

3 Port. 30 Min. Einfach

Zutaten

750 ml Brühe
300 g Rindergulasch
2 Paprika (rot)
1 Zwiebel
200 g Kartoffeln
200 g Karotten
50 g Sellerie
80 g saure Sahne
Etwas Tabasco
Etwas Tomatenmark
Chili
Pfeffer
Salz

Nährwerte

285 kcal
26 g Kohlenhydrate
8 g Fett
26 g Eiweiß

1 Die Zwiebel, den Sellerie, die Karotten sowie die Kartoffeln von ihren Schalen befreien und den Rest in Würfel verwandeln. Die Paprika in dieselbe Form bringen, nachdem das Kerngehäuse entfernt wurde.

2 Dann ein wenig Öl im Schnellkocher heiß werden lassen und hier die Zwiebelwürfel hineingeben. Zeigen diese sich glasig, kann das Gemüse mit in den Kocher. Anschließend folgt das Fleisch. Jetzt alles mit der Brühe löschen und den Deckel auf den Schnellkochtopf geben.

3 Das Gulasch bis zur Garstufe 2 unter Dampf setzen und dann bei mittlerer Hitze gute zwölf Minuten garen lassen. Nach dem Abdampfen die Gulaschsuppe mit der Sahne sowie den Gewürzen geschmacklich verfeinern.

WÜRZIGER FLEISCHTOPF MIT KARTOFFELN

6 Port. 30 Min. Einfach

Zutaten

500 ml Gemüsebrühe
2 Esslöffel Schweineschmalz
500 g Rindfleisch
750 g Kartoffeln
250 g Sellerie
250 g Karotten
1 Bund Petersilie
Pfeffer
Salz

Nährwerte

229 kcal
26 g Kohlenhydrate
4 g Fett
22 g Eiweiß

1 Das Fleisch unter Wasser abbrausen und dieses dann in kleine Stücke zerteilen. Die Kartoffeln von ihren Schalen lösen und den Rest in Würfel verwandeln. Den Lauch samt Sellerie und Karotten hingegen nach dem Säubern in mundgerechte Stücke trennen.

2 Danach das Schweineschmalz im Schnellkochtopf heiß werden lassen und hier das Rindfleisch kurz braten. Anschließend das gesamte Gemüse untermischen und mit der Brühe den Mix löschen. Jetzt den Deckel auf den Schnellkocher geben und alles bis zur zweiten Garstufe aufkochen. Zehn Minuten darf der Fleischtopf jetzt bei mittlerer Hitze garen.

3 Nach dem vorsichtigen Abdampfen des Topfes gilt es, den Inhalt einmal ausgiebig durchzurühren und mit Petersilie, Pfeffer sowie Salz zu verfeinern.

DEFTIGES IRISH-STEW

6 Port. 30 Min. Einfach

Zutaten

600 g Lamm
600 g Kartoffeln
500 g Wirsingkohl
350 g Zwiebeln
250 ml Gemüsebrühe
Pfeffer
Salz

Nährwerte

297 kcal
36 g Kohlenhydrate
4 g Fett
28 g Eiweiß

1 Den Kohl säubern und den Strunk entfernen. Den Rest dann in feine Streifen verwandeln. Die Kartoffeln hingegen ohne Schale in dünne Scheiben zerteilen, während die Zwiebel in Ringe getrennt wird. Das Lammfleisch kurz abbrausen und dieses in Würfel teilen.

2 Anschließend gilt es, die Zutaten im Wechsel in dem Schnellkochtopf zu schichten und das Ganze immer wieder mit Pfeffer sowie Salz zu bestreuen. Dann noch die Gemüsebrühe zugießen und den Deckel fest verschließen.

3 Den Kocher jetzt voll unter Dampf setzen. Ist die Garstufe 2 erreicht, die Temperatur senken und alles zehn Minuten köcheln lassen. Nach dem anschließenden Abdampfen muss das Irish-Stew nur noch gut durchgerührt und eventuell erneut mit Salz sowie Pfeffer verfeinert werden.

LINSENEINTOPF MIT METTENDEN

4 Port. 30 Min. Einfach

Zutaten

4 Mettenden
2 Karotten
300 g Linsen
2 Suppenknochen
1 Zwiebel
1 Esslöffel Weißweinessig
1 Lauchstange
Ein Viertel Sellerieknolle
1 Esslöffel Sonnenblumenöl
1 Teelöffel Maggikraut
Einen halben Teelöffel Majoran
1 Teelöffel Salz
Pfeffer

Nährwerte

510 kcal
44 g Kohlenhydrate
23 g Fett
32 g Eiweiß

1 Die Zwiebel ohne Schale in ganz feine Stücke zerteilen. Den Lauch hingegen quer in Streifen trennen, während die Karotten nach dem Schälen zuerst längs halbiert und dann in Scheiben geteilt werden. Die Sellerieknolle darf in Würfel verwandelt werden.

2 Nun die Zwiebelstücke mit ein bisschen Sonnenblumenöl im Schnellkocher braten. Danach das gesamte Gemüse zugeben. Es folgen die Linsen, die Suppenknochen sowie ein halber Liter Wasser. Das Ganze wird jetzt aufgekocht. Mehrmals gilt es jetzt, den Schaum herunterzunehmen.

3 Im Anschluss den Deckel auf den Schnellkochtopf setzen und alles unter Dampf setzen. Nach einer Viertelstunde kann der Topf sofort abgedampft werden.

4 Die Mettenden in Scheiben teilen und diese zum Linseneintopf geben. Erneut den Deckel auf den Kocher setzen und das Ganze bei geringen Temperaturen erneut eine Viertelstunde ziehen lassen. Zu guter Letzt muss dieser One-Pot-Eintopf nur noch mit Maggikraut, Majoran, Pfeffer und Salz verfeinert werden.

Beilagen

FEURIGE SCHWARZE BOHNEN MIT CHILI UND QUINOA

4 Port. 30 Min. Einfach

Zutaten

1 Zwiebel
3 Süßkartoffeln
85 g Quinoa
500 g schwarze Bohnen
450 g Dosen Tomaten (Stücke)
2 Esslöffel Tomatenmark
1 l Gemüsebrühe
2 Selleriestangen
1 Teelöffel Chilipulver
1 Teelöffel Koriander
2 Teelöffel Kümmel
2 Teelöffel Paprikapulver
2 Knoblauchzehen

Nährwerte

271 kcal
48 g Kohlenhydrate
3 g Fett
12 g Eiweiß

1 Die Zwiebel schalenlos würfeln und die Bohnen am besten einen Tag zuvor in Wasser einweichen. Den Sellerie hingegen in Stücke trennen und die Süßkartoffeln geschält in Würfel verwandeln.

2 Anschließend sämtliche Zutaten in den Schnellkochtopf füllen und diesen mit dem Deckel samt Ventil schließen. Das Ganze bei hoher Temperatur jetzt unter Dampf setzen und zwölf Minuten garen.

3 Im Anschluss den Dampfkocher unter kaltem Wasser abdampfen und servieren.

ROTE BETE SAUER EINGELEGT

2 Port. 20 Min. Einfach

Zutaten

2 Rote Bete-Knollen
Essig-Sud aus 400 ml Wasser und ein Teil Weißweinessig
Senfkörner
Pfefferkörner
1 Lorbeerblatt

Nährwerte

107 kcal
24 g Kohlenhydrate
1 g Fett
4 g Eiweiß

1 Von den Rote Bete-Knollen das Grün entfernen. Diese dann im geschlossenen Schnellkochtopf bei Garstufe 2 circa 20 Minuten garen. Anschließend die Rote Bete in Scheiben teilen.

2 Jetzt in den Essig-Sud sämtliche Gewürze geben und diesen einmal aufkochen. Diesen dann mit den Rote Bete-Scheiben in einer Schüssel mischen. Das Ganze am besten über Nacht ziehen lassen.

APFEL-ROTKOHL MIT PREISELBEEREN

4 Port. 20 Min. Einfach

Zutaten

40 g Preiselbeeren (Glas)
1 kg Rotkohl
1 Zwiebel
85 ml Rotwein
1 Apfel
1 Gewürznelke
50 g Zucker
160 ml Rotweinessig
Etwas Zimt
Pfeffer
Salz

Nährwerte

495 kcal
16 g Kohlenhydrate
32 g Fett
35 g Eiweiß

1 Den Rotkohl säubern und den Strunk entfernen. Den Rest des Kohls jetzt in feine Streifen zerteilen oder diesen in einer Küchenmaschine klein häckseln.

2 Dann die Zwiebel schalenlos fein zerhacken und den Apfel von seiner Schale sowie von seinem Kerngehäuse lösen und den Rest fein reiben. Alles, außer den Rotkohl, jetzt in eine Schüssel füllen und gut durchmischen. Anschließend den Rotkohl zuführen und erneut vermengen.

3 Das Ganze muss nun mindestens eine Stunde ziehen. Anschließend den Rotkohl-Apfel-Mix in den Schnellkochtopf geben und diesen fest verschließen. Das Ganze bei hohen Temperaturen unter Dampf setzen und dann bei reduzierter Hitze eine Viertelstunde köcheln lassen.

4 Im Anschluss den Topf auf einer kalten Herdplatte abdampfen lassen. Zu guter Letzt muss der Rotkohl eventuell mit Pfeffer, Salz sowie Zucker eventuell erneut gewürzt werden.

WEISSKRAUT MIT KÜMMEL

4 Port. 25 Min. Einfach

Zutaten

250 ml Gemüsebrühe
750 g Weißkraut
1 Apfel
250 ml Weißwein
1 Zwiebel
1 Esslöffel Zucker
1 Esslöffel Essig
4 Esslöffel Butterschmalz
1 Teelöffel Kümmelsamen
Pfeffer
Salz

Nährwerte

193 kcal
16 g Kohlenhydrate
6 g Fett
2 g Eiweiß

1 Das Weißkraut abbrausen und den Strunk lösen. Den Rest entweder hobeln oder in feine Streifen zerteilen. Dann die Zwiebel ohne Schale zerhacken, den Apfel von seiner Schale sowie vom Kerngehäuse befreien und den Rest in Würfel verwandeln.

2 Jetzt das Butterschmalz im Schnellkocher heiß werden lassen und den Zucker anbräunen. Dann die Apfel-sowie Zwiebelstücke zugeben und danach den Weißkohl. Das Ganze mit Pfeffer sowie Salz bestreuen und auch den Kümmelsamen nicht vergessen.

3 Sowohl der Weißwein als auch die Gemüsebrühe jetzt zum Löschen verwenden. Im Anschluss Deckel sowie Ventil schließen und das Ganze mit Hitze unter Druck setzen. Dann die Temperatur herunterdrehen und das Weißkraut circa acht Minuten garen.

4 Auf der ausgestellten Platte den Topf dann abdampfen lassen. Zu guter Letzt den Essig verwenden, um dem Weißkraut eine süß-saure Note zu verleihen.

KLASSISCHE SALZKARTOFFELN

4 Port. 10 Min. Einfach

Zutaten

Salz
800 g Kartoffeln

Nährwerte

138 kcal
29 g Kohlenhydrate
0 g Fett
4 g Eiweiß

1 Die Kartoffeln von ihrer Schale befreien und eventuell in der Mitte einmal teilen.

2 Jetzt das Wasser bis zur Dampfgar-Mindestfüllmenge mit einer Prise Salz in den Schnellkochtopf füllen. Es folgt der Dreifuß samt Dampfeinsatz, in den die Kartoffeln hineingegeben werden.

3 Jetzt den Deckel plus Ventil fest schließen und den Kocher unter Dampf setzen. Die Temperatur dann herunterdrehen und die Salzkartoffeln ungefähr zwölf Minuten garen.

EINFACHER REIS

4 Port. 5 Min. Einfach

Zutaten

Salz
240 g Reis

Nährwerte

56 kcal
12 g Kohlenhydrate
0 g Fett
1 g Eiweiß

1 Den Reis mit 480 ml Wasser zusammen in den Schnellkochtopf füllen. Jetzt den Deckel sowie das Ventil schließen und alles bei hohen Temperaturen unter Druck setzen.

2 Anschließend die Hitze senken und den Reis acht Minuten garen lassen. Dann den Topf von der Platte nehmen und diesen in gemächlichem Tempo abdampfen.

SELBSTGEMACHTE KARTOFFELKNÖDEL

4 Port. 30 Min. Einfach

Zutaten

2 Eigelbe
1 Esslöffel Speisestärke
1,3 kg Kartoffeln (mehlig)
Einen halben Teelöffel Kümmel
Salz

Nährwerte

262 kcal
50 g Kohlenhydrate
3 g Fett
8 g Eiweiß

1 300 Gramm der mehligen Kartoffeln samt Schale mit Kümmel und Salz im Wasser garen. Diese dann von ihrer Schale befreien und noch heiß durch eine Kartoffelpresse quetschen.

2 Das übrige Kilo Kartoffeln hingegen von der Schale lösen und fein zerreiben. Das Ganze dann in ein Mull-Tuch füllen und die Kartoffelmasse kräftig ausdrücken. Das Kartoffelwasser in einer Schüssel auffangen und eine Viertelstunde beiseitestellen. Anschließend das Wasser weggießen und die Kartoffelstärke mit den geraspelten sowie den zerquetschten Kartoffeln mischen.

3 Anschließend die Eigelbe unterrühren, ebenso die Speisestärke. Das Ganze dann noch mit Salz verfeinern. Aus dem Teig Knödel formen und diese in den Dampfeinsatz des Schnellkochers geben. Die Mindestfüllmenge an Wasser zugießen und den Deckel plus das Ventil schließen.

4 Dann die Temperatur herunterdrehen und die Kartoffelknödel sechs Minuten garen lassen.

SELBSTGEMACHTE SEMMEL-KNÖDEL

4 Port. 20 Min. Einfach

Zutaten

250 ml Milch
400 g Weißbrot (altbacken)
3 Eier
160 g Butter
250 g Mehl
Ein halbes Bund Petersilie
Etwas Muskatnuss
Pfeffer
Salz

Nährwerte

645 kcal
96 g Kohlenhydrate
20 g Fett
19 g Eiweiß

1 Das Weißbrot in Würfel zerteilen. Dann die Butter heiß werden lassen und die Brotwürfel hier rösten und anschließend zum Auskühlen in eine Schüssel füllen.

2 Danach die Eier mit der Milch mischen und diesen Mix über das Brot gießen. Das Ganze mit Pfeffer, Muskatnuss und Salz geschmacklich verfeinern. Jetzt noch die Petersilie zerhacken und diese mit dem Mehl unter den Brot-Mix mischen.

3 Den Teig ausgiebig durchkneten und dann ungefähr 20 Minuten ruhen lassen. Danach aus dem Knödelteig circa zwölf Knödel kreieren und diese in den Dampfeinsatz des Schnellkochers geben.

4 Jetzt das Mindestmaß an Füllmenge mit Salzwasser versehen und dieses zum Kochen bringen. Im Anschluss den Dampfeinsatz platzieren und Deckel plus Ventil des Schnellkochtopfes schließen.

5 Ist der Druck aufgebaut, kann die Hitze reduziert werden. Nach acht Minuten sind die Semmelknödel fertig. Jetzt muss der Topf nur noch vom Herd genommen werden, sodass dieser in Ruhe abdampfen kann.

GEBACKENE BOHNEN MIT PIMENT

4 Port. 40 Min. Einfach

Zutaten

3 kg Eier-Tomaten
500 g weiße Bohnen (getrocknet)
30 g getrocknete Tomaten
4 Knoblauchzehen
150 ml Apfelessig
150 g Zucker
2 Teelöffel Paprikapulver (scharf)
10 Gewürznelken
3 Kardamomkapseln (grün)
Einen halben Teelöffel Muskatblütenpulver
Einen halben Teelöffel Pimentpulver
Ein Viertel Teelöffel Zimt
Einen halben Teelöffel Pfeffer
Salz

Nährwerte

590 kcal
101 g Kohlenhydrate
4 g Fett
34 g Eiweiß

1 Die weißen Bohnen säubern und in den Schnellkochtopf füllen. Das Ganze mit Wasser bedecken und einmal aufkochen lassen. Den Schaum jetzt entfernen und dann den Deckel plus das Ventil des Schnellkochers schließen. Bei hohen Temperaturen das Ganze unter Druck setzen. Dann die Temperatur reduzieren und die Bohnen 20 Minuten köcheln lassen.

2 Nach der Garzeit den Topf unverzüglich abdampfen und die Bohnen abgießen. Danach in einem anderen Kochtopf Wasser aufkochen. Die Eiertomaten kreuzförmig einritzen und kurz in das kochende Wasser tauchen. Diese dann abschrecken, die Haut lösen und den Rest klein zerteilen.

3 Den Knoblauch schalenlos fein zerhacken. Gleiches mit den getrockneten Tomaten vornehmen. Anschließend sämtliche Zutaten außer die weißen Bohnen im Schnellkochtopf mischen. Erneut Deckel und Ventil schließen und den Kocher erneut unter Dampf setzen. Nach 20 Minuten ist die Soße fertig.

4 Nachdem das Ganze auf einer kalten Herdplatte abgedampft ist, gilt es, die Soße noch einmal mit offenem Topf auf den Herd zu stellen. Ungefähr eine Viertelstunde sollte dieser hier verbleiben.

5 Jetzt nur noch die Soße pürieren und mit den weißen Bohnen mischen.

Desserts

VANILLE PANNA-COTTA

4 Port. 20 Min. Einfach

Zutaten

Eine halbe Vanilleschote
2 Eiweiße
175 ml Sahne
50 g Zucker
75 ml Milch

Nährwerte

176 kcal
14 g Kohlenhydrate
11 g Fett
4 g Eiweiß

1 Das Vanillemark aus der Schote nehmen und dieses mit der Milch, der Sahne sowie dem Zucker in dem Topf aufkochen.

2 Jetzt die Eiweiße in eine schaumige Masse verwandeln und diese dann unter die Vanille-Mischung rühren. Das Ganze nun in vier Dessertförmchen füllen und diese in den Gareinsatz des Schnellkochtopfes stellen.

3 Den Topf dann noch mit der vorgegebenen Menge Wasser befüllen und den Deckel samt Ventil schließen. Das Ganze auf die erste Gar-stufe stellen und erhitzen.

4 Ist die Stufe erreicht, die Herdplatte herunterdrehen und die Panna-Cotta sieben Minuten auf dieser belassen. Im Anschluss den Schnellkocher gemächlich auskühlen lassen und das Dessert dann für mehrere Stunden kalt stellen.

SÜSSE ÄPFEL MIT PREISELBEEREN

4 Port. 20 Min. Einfach

Zutaten

4 Äpfel
3 Esslöffel Preiselbeeren
125 ml Wasser
1 Esslöffel Puderzucker
2 Päckchen Vanillezucker
Etwas Zitronensaft
Etwas Zimt

Nährwerte

103 kcal
24 g Kohlenhydrate
0 g Fett
0 g Eiweiß

1 Die Äpfel im Ganzen von ihrer Schale befreien und das Kerngehäuse mit einem Lochstecher entfernen. Danach den Zimt mit dem Vanillezucker mischen und in diesem Mix die Äpfel wälzen. Die Äpfel dann in den Dämpfeinsatz des Schnellkochers geben.

2 Jetzt das Wasser mit einem Spritzer Zitronensaft in den Kocher geben und den Dämpfeinsatz hier hineinstellen. Deckel und Ventil können nun geschlossen werden. Dann am Topf die Garstufe 1 einstellen und den Herd anstellen. Ist die Stufe erreicht, die Temperatur senken und die Äpfel fünf Minuten garen lassen.

3 Währenddessen die Preiselbeeren mit etwas Zucker in einem anderen Topf heiß werden lassen. Nach dem vorsichtigen Abdampfen dann die süßen Äpfel mit den Preiselbeeren anrichten.

KLASSISCHER MILCHREIS

2 Port. 15 Min. Einfach

Zutaten

220 g Milchreis
900 ml Milch
2 Esslöffel Honig
100 ml Sahne
1 Teelöffel Vanillepulver

Nährwerte

647 kcal
102 g Kohlenhydrate
13 g Fett
25 g Eiweiß

1 Im Schnellkochtopf den Milchreis mit der Sahne, der Milch, dem Honig sowie dem Vanillepulver mischen. Jetzt das Ganze einmal aufkochen, und zwar so, dass die Milch keinen Schaum bildet.

2 Dann den Schnellkochtopf verschließen und die Herdplatte abstellen. Auf der noch warmen Platte gart der Milchreis jetzt 20 Minuten.

3 Anschließend den Milchreis noch einmal gut durchrühren und eventuell noch einmal mit dem Honig verfeinern.

ORANGEN-PUDDING

5 Port. 20 Min. Einfach

Zutaten

4 Eier
400 ml Orangensaft
Etwas Orangenabrieb
1 Teelöffel Vanille
1 Esslöffel Stärkemehl
1 Esslöffel Zucker
Etwas Zimt

Nährwerte

107 kcal
12 g Kohlenhydrate
4 g Fett
4 g Eiweiß

1 Von einer Orange etwas Schale abreiben und dann die übrigen Orangen ausquetschen.

2 Dann die Eier verquirlen und hier die Vanille sowie den Zucker einrühren. Anschließend noch den Orangensaft sowie den Orangenabrieb zufügen. Zum Schluss noch das Stärkemehl, welches vorab in etwas Saft glatt gerührt werden sollte, dazugeben.

3 Das Ganze jetzt in kleine Gläser füllen und diese im Dämpfeinsatz platzieren. Nach Anleitung des Schnellkochers nun Wasser in diesen geben und Deckel sowie Ventil schließen.

4 Auf der ersten Garstufe dann den Nachtisch für zehn Minuten garen lassen. Anschießend den Schnellkochtopf eigenständig abdampfen lassen und die Dessertgläser anschließend über Nacht in den Kühlschrank stellen.

SCHNELLE MARONEN

1 Port. 10 Min. Einfach

Zutaten

200 g Maronen
400 ml Wasser

Nährwerte

341 kcal
70 g Kohlenhydrate
4 g Fett
4 g Eiweiß

1 Das Wasser in den Schnellkochtopf füllen. Anschließend das Dämpfgestell in den Topf geben.

2 Jetzt die Maronen kurz unter Wasser abbrausen, einschneiden und in das Dämpfgestell geben.

3 Dann den Deckel und das Ventil schließen und den Schnellkocher auf Garstufe 2 stellen. Ist diese Stufe erreicht, den Herd auf mittlere Hitze herunterdrehen und die Maronen noch eine halbe Stunde garen lassen.

4 Zu guter Letzt den Schnellkochtopf mit Vorsicht abdampfen und die Maronen genießen.

CREMIGER KÄSEKUCHEN

6 Port. 20 Min. Einfach

Zutaten

350 g Frischkäse
100 g Haferkekse
50 g Butter
80 ml Sahne
2 Teelöffel Mehl
120 g Zucker
1 Päckchen Vanillezucker
2 Eier
Etwas Zitronenabrieb
100 ml saure Sahne
2 Eigelbe

Nährwerte

1890 kcal
202 g Kohlenhydrate
10 g Fett
8 g Eiweiß

1 Die Haferkekse in einer Tüte zerdrücken. Dann die Butter in einem kleinen Kochtopf heiß werden lassen und hier die Kekskrümel einrühren.

2 In einer Springform mit Backpapier jetzt die Keks-Butter-Mischung als Kuchenboden hineingeben und die Form in den Kühlschrank geben.

3 Jetzt den Frischkäse mit dem Vanillezucker, der Sahne, dem Mehl sowie dem Zucker verrühren. Im Anschluss noch zwei Eier und zwei zusätzliche Eigelbe unter die Masse geben. Das Ganze dann auf dem Haferkeksboden verteilen. Den Kuchen mit Folie zudecken.

4 In den Schnellkochtopf jetzt nach Anleitung Wasser hineingeben und dann das Dämpfgestell samt Kuchenform hier hineinstellen.

5 Nun den Deckel sowie das Ventil schließen und alles bis zur zweiten Garstufe unter Dampf setzen. Ist die Stufe erreicht, gilt es, den Käsekuchen 35 Minuten zu garen. Wobei die letzte Viertelstunde ohne weitere Hitzezufuhr vonstattengehen sollte.

6 Zu guter Letzt den Schnellkochtopf mit Vorsicht abdämpfen und den Käsekuchen vor dem Verzehr noch einmal kühl lagern.

KLEINE SCHOKOLADENKUCHEN

6 Port. 20 Min. Einfach

Zutaten

5 Eier
80 g Zartbitterschokolade
80 g Mandeln (gemahlen)
Eine halbe Vanilleschote
40 g Paniermehl
130 g Zucker
2 Esslöffel Rum
20 g Butter
6 Esslöffel Puderzucker

Nährwerte

570 kcal
45 g Kohlenhydrate
38 g Fett
8 g Eiweiß

1 Die Zartbitterschokolade in kleine Raspeln verwandeln. Von der Vanilleschote das Mark herausnehmen. Jetzt die gemahlenen Mandeln mit dem Paniermehl vermengen und kleine Dessertgläser mit Butter einpinseln sowie mit ein wenig Puderzucker bestäuben. Die Eier trennen.

2 Danach die Schokolade in einem Wasserbad erwärmen. Dann die Eigelbe mit drei Esslöffeln Puderzucker sowie dem Vanillemark vermischen. Hier auch gleich den Rum sowie die geschmolzene Schokolade einrühren.

3 Im Anschluss die Eiweiße in eine steife Masse verwandeln und diese ebenfalls unter den Schoko-Mix geben. Die Schoko-Masse nun in Dessertgläser füllen.

4 Nach Anleitung anschließend Wasser in den Schnellkochtopf gießen und die Dessertgläser mit dem Dämpfeinsatz in den Kocher stellen. Deckel und Ventil schließen und den Topf auf Garstufe 1 einstellen. Ist diese erreicht, müssen die kleinen Schokokuchen noch sieben Minuten lang garen.

5 Danach den Schnellkochtopf abdampfen, die Küchlein herausnehmen und nach dem Auskühlen mit Puderzucker bestreuen.

SÜSSE HEFE-KLÖSSE

4 Port. 20 Min. Einfach

Zutaten

25 g Butter
250 g Mehl
1 Teelöffel Zucker
15 g Hefe
100 ml Milch
1 Ei
Etwas Salz

Nährwerte

267 kcal
46 g Kohlenhydrate
6 g Fett
6 g Eiweiß

1 Die Butter mit der Milch, dem Mehl, dem Zucker, der Hefe, dem Ei sowie einer Prise Salz zu einem glatten Teig verarbeiten, wobei die Milch besser Zimmertemperatur haben sollte.

2 Den Teig anschließend an einen warmen Ort stellen und diesen ungefähr eine Dreiviertelstunde gehen lassen.

3 Nach der Ruhezeit aus dem Teig eine faustdicke Rolle kreieren und diese dann in vier Zentimeter dicke Scheiben teilen. Aus den Scheiben dann runde Klöße zaubern. Diese erneut eine halbe Stunde aufgehen lassen.

4 Zwischenzeitlich einen halben Liter Wasser in den Schnellkochtopf füllen und aufkochen. Jetzt den Dämpfeinsatz mit ein wenig Butter einstreichen und diesen in den Topf stellen. Mit Vorsicht danach die Hefe-Klöße hier hineinlegen.

5 Den Deckel sowie das Ventil des Topfes schließen und das Ganze bis zur ersten Garstufe erhitzen. Ist die Temperatur erreicht, den Herd herunterdrehen und die Hefe-Klöße sechs Minuten garen.

6 Zum Schluss den Schnellkocher mit Vorsicht abdampfen und die Hefe-Klöße am besten mit Vanillesoße oder heißen Früchten genießen.

MARMORKUCHEN IM GLAS

3 Port. 20 Min. Einfach

Zutaten

3 Eier
50 ml Milch
2 Esslöffel Kakaopulver
1 Esslöffel Backpulver
100 g Butter
140 g Mehl
1 Esslöffel Vanillezucker
140 g Zucker

Nährwerte

630 kcal
83 g Kohlenhydrate
28 g Fett
8 g Eiweiß

1 Die Butter mit dem Zucker sowie dem Vanillezucker gut vermischen. Danach die Eier nach und nach dazugeben und alles gut verrühren. Es folgen Milch und Backpulver und zum Schluss noch das Mehl.

2 Drei Dessertgläser gilt es anschließend, mit der Hälfte des Teigs zu füllen. Die andere Hälfte des Teigs wird hingegen erst mit dem Kakaopulver gemischt und dann in die Gläser gegeben. Die Gläser nun mit einem Deckel versehen und den Dämpfeinsatz in den Schnellkochtopf stellen.

3 Jetzt noch nach Anleitung Wasser in den Topf geben und die kleinen Kuchen auf dem Dämpfeinsatz platzieren. Danach den Deckel sowie das Ventil des Schnellkochtopfes verschließen und das Ganze bis auf Garstufe 2 erhitzen. Anschließend die Temperatur senken und die Marmorkuchen eine Dreiviertelstunde im Kocher lassen.

4 Nach der Garzeit den Topf vom Herd nehmen, sodass dieser sich eigenständig abdampfen kann.

BUTTERMILCH-BROT

6 Port. 20 Min. Einfach

Zutaten

200 g glutenfreies Mehl
330 ml Buttermilch
70 g Maismehl
2 Teelöffel Backpulver
1 Teelöffel Salz

Nährwerte

532 kcal
105 g Kohlenhydrate
5 g Fett
15 g Eiweiß

1 Das Mehl mit dem Maismehl sowie dem Backpulver und dem Salz vermengen. Danach schluckweise die Buttermilch unter den Mehl-Mix rühren. Jetzt eine Form mit Fett einpinseln und hier den Brotteig hineinlegen. Die Form dann mit Folie bedecken und in den Dämpfeinsatz des Schnellkochtopfes stellen.

2 Nach Anleitung jetzt das Wasser in den Topf geben und diesen mit dem Deckel fest verschließen. Auf der zweiten Garstufe wird das Buttermilch-Brot jetzt genau 32 Minuten lang gegart.

3 Im Anschluss den Topf abdampfen und das Brot zum Auskühlen herausnehmen.

SÜSSER GRIESSBREI MIT HIMBEEREN

4 Port. 30 Min. Einfach

Zutaten

300 g Himbeeren
50 g Zucker
250 g Grießbrei
1l Milch
4 Esslöffel Puderzucker
2 Päckchen Vanille-zucker
4 Esslöffel Himbeersirup

Nährwerte

1250 kcal
181 g Kohlenhydrate
35 g Fett
48 g Eiweiß

1 Die Himbeeren säubern und erst einmal an die Seite stellen. Dann den Zucker, den Grießbrei, die Milch sowie den Vanillezucker in den Schnellkocher geben und verrühren. Das Ganz einmal zum Kochen bringen und dann die Hitze senken.

2 Jetzt Deckel sowie Ventil schließen, alles bis zur ersten Garstufe erhitzen und zehn Minuten garen lassen.

3 Anschließend den Topf eigenständig abdampfen lassen und die Himbeeren in einem separaten Topf mit dem Himbeersirup und dem Puderzucker aufkochen. Den süßen Grießbrei mit den Himbeeren servieren.

SÜSSE NUDELSUPPE

4 Port. 20 Min. Einfach

Zutaten

250 g Nudeln
1 l Milch
50 g Zucker
2 Päckchen Vanille-zucker

Nährwerte

346 kcal
59 g Kohlenhydrate
5 g Fett
13 g Eiweiß

1 Den Vanillezucker mit der Milch und dem Zucker in den Dampfkocher füllen. Das Ganze aufkochen und anschließend die Nudeln dazugeben.

2 Jetzt den Deckel sowie das Ventil fest schließen und alles acht Minuten garen lassen. Im Anschluss den Topf abdampfen und die noch heiße Nudelsuppe genießen.

HAFERBREI MIT SÜSSEN ERDBEEREN

2 Port. 20 Min. Einfach

Zutaten

500 ml Wasser
1 Teelöffel Zimt
20 g Zucker
100 g Hafergrütze
200 g Erdbeeren (frisch)
1 Päckchen Vanillezucker

Nährwerte

593 kcal
127 g Kohlenhydrate
3 g Fett
12 g Eiweiß

1 Das Wasser mit dem Zucker, dem Vanillezucker, den gesäuberten Erdbeeren, der Hafergrütze sowie dem Zimt in den Dampfkocher füllen und den Deckel samt Ventil schließen.

2 Das Ganze jetzt unter Druck setzen und drei Minuten garen lassen. Danach den Schnellkocher vom Herd ziehen und warten, bis dieser sich selbst abgedampft hat.

3 Zu guter Letzt den Topf öffnen, den Haferbrei einmal durchmischen und noch warm servieren.

FRUCHTIGES RISOTTO

4 Port. 30 Min. Einfach

Zutaten

50 g Kokosnusszucker
150 g Himbeeren
2 Esslöffel Kokosnuss-flocken
250 g Risotto
750 ml Kokosnussmilch
2 Päckchen Vanille-zucker

Nährwerte

612 kcal
54 g Kohlenhydrate
40 g Fett
9 g Eiweiß

1 Die Kokosnussmilch im Schnellkocher zum Kochen bringen. Dann das Risotto dazugeben, alles gut mischen und anschließend Deckel sowie Ventil schließen.

2 Das Ganze unter Volldampf setzen und fünf Minuten garen lassen. Danach den Dampf entweichen lassen und den Topf öffnen. Das Ganze dann wieder auf die noch warme, aber ausgestellte Herdplatte setzen.

3 Jetzt die Himbeeren säubern und diese unter das Risotto mischen. Im Anschluss noch den Vanillezucker, den Kokosnusszucker sowie die Kokosnussflocken unterheben.

Kompotte & Marmeladen

KIRSCH-KOMPOTT

4 Port. 20 Min. Einfach

Zutaten

20 g Speisestärke
1 kg Kirschen
1 Päckchen Vanillezucker
150 g Zucker

Nährwerte

340 kcal
79 g Kohlenhydrate
2 g Fett
1 g Eiweiß

1 Die Kirschen säubern und die Kerne entfernen. Diese dann mit dem Zucker sowie 250 ml Wasser in den Schnellkochtopf füllen. Das Ganze einmal gut durchrühren und anschließend mit dem Deckel verschließen.

2 Bei hohen Temperaturen gilt es jetzt, Druck aufzubauen. Anschließend wird der Herd ausgestellt und der Kompott sechs Minuten auf der noch warmen Platte gegart.

3 Danach das Ganze sofort abdampfen. Jetzt noch die Speisestärke mit ein bisschen Wasser glatt rühren und diese zum Andicken der Kirschen unter diese mischen. Mit Vanillezucker das Ganze süß verfeinern.

BUNTER-OBST-KOMPOTT

4 Port. 30 Min. Einfach

Zutaten

600 g Birnen
100 g Rosinen
300 g Äpfel
2 Grapefruits
300 g Zucker
100 g Johannisbeeren
2 Teelöffel Zimt
100 g Mandelstifte
300 g Heidelbeeren

Nährwerte

720 kcal
134 g Kohlenhydrate
9 g Fett
15 g Eiweiß

1 Die Rosinen in ein Küchensieb füllen und diese dann mit kochendem Wasser übergießen. Dann die Grapefruits ausquetschen und den Saft mit den Rosinen in einer Schüssel mischen. Das Ganze anschließend eine halbe Stunde durchziehen lassen.

2 Währenddessen die Beeren abbrausen und die Stiele entnehmen. Diese dann mit Zimt sowie Zucker in den Schnellkochtopf füllen. Jetzt sowohl von den Birnen als auch von den Äpfeln die Schale entfernen und diese dann vierteln, um das Kerngehäuse zu lösen. Danach Birnen sowie Äpfel in Würfel zerteilen und mit 150 ml Wasser zu den Beeren geben.

3 Jetzt Deckel und Ventil des Schnellkochtopfes schließen und bei großer Hitze halben Druck aufbauen. Dann die Herdplatte wieder abstellen und den Topf zur Seite ziehen. Nachdem das Ganze noch einmal vier Minuten gut durchgezogen ist, den Topf abdampfen und den Rosinen-Grapefruitsaft-Mix unterrühren.

4 Jetzt den Topf zurück auf die Platte schieben und den Kompott noch einmal ungefähr drei Minuten köcheln lassen. Das Ganze dann in Gläser füllen.

APFEL-KIWI-MUS

2 Port. 20 Min. Einfach

Zutaten

4 Kiwi
2 Äpfel
1 Esslöffel Zucker (braun)

Nährwerte

217 kcal
44 g Kohlenhydrate
2 g Fett
4 g Eiweiß

1 Die Äpfel sowie die Kiwis aus ihren Schalen lösen. Bei Erstgenanntem dann noch das Kerngehäuse entfernen und beides in Stücke zerteilen.

2 Die Kiwi- sowie Apfelstücke jetzt in den Dampfeinsatz geben und den Schnellkochtopf nach Anleitung mit Wasser befüllen. Den Dampfeinsatz mit dem Obst in den Topf stellen, den Deckel samt Ventil schließen und alles bis auf die zweite Garstufe erhitzen.

3 Anschließend die Temperatur senken und das Ganze circa sieben Minuten garen. Danach den Dampf mit Vorsicht ablassen und die Kiwi-sowie Apfelstücke in eine Schüssel geben. Hier den Rohrzucker über das Obst streuen und alles einmal durchpürieren.

QUITTEN-GELEE

4 Port. 20 Min. Einfach

Zutaten

2 kg Quitten
1 Zitrone
450 g Gelierzucker
2 Esslöffel Rum
1 Rosmarinzweig

Nährwerte

452 kcal
85 g Kohlenhydrate
3 g Fett
5 g Eiweiß

1 Die Quitten ausgiebig säubern, die Blüten und die Kerne entfernen und diese dann samt der Schale in Stücke zerteilen. Diese anschließend mit dem Abrieb der Zitrone sowie 1,5 Liter Wasser in den Schnellkocher geben. Das Ganze dann bei Garstufe 2 unter Dampf setzen und bei anschließender reduzierter Temperatur eine halbe Stunde garen.

2 Das Ganze nach dem Abdampfen durch ein Mull-Tuch drücken und den Quittensaft auffangen. Ein Liter davon abmessen und diesen mit Rum, Zitronensaft, Rosmarinzweig sowie dem Gelierzucker einmal aufkochen. Zwischenzeitlich immer mal wieder den Schaum entfernen.

3 Jetzt den Rosmarinzweig herausnehmen und das Quittengelee abfüllen.

ORANGEN-PUDDING

5 Port. 20 Min. Einfach

Zutaten

4 Eier
400 ml Orangensaft
Etwas Orangenabrieb
1 Teelöffel Vanille
1 Esslöffel Stärkemehl
1 Esslöffel Zucker
Etwas Zimt

Nährwerte

107 kcal
12 g Kohlenhydrate
4 g Fett
4 g Eiweiß

1 Von einer Orange etwas Schale abreiben und dann die übrigen Orangen ausquetschen.

2 Dann die Eier verquirlen und hier die Vanille sowie den Zucker einrühren. Anschließend noch den Orangensaft sowie den Orangenabrieb zufügen. Zum Schluss noch das Stärkemehl, welches vorab in etwas Saft glatt gerührt werden sollte, dazugeben.

3 Das Ganze jetzt in kleine Gläser füllen und diese im Dämpfeinsatz platzieren. Nach Anleitung des Schnellkochers nun Wasser in diesen geben und Deckel sowie Ventil schließen.

4 Auf der ersten Garstufe dann den Nachtisch für zehn Minuten garen lassen. Anschießend den Schnellkochtopf eigenständig abdampfen lassen und die Dessertgläser anschließend über Nacht in den Kühlschrank stellen.